Manfred Röschlau

Havarierte Illusionen

© 2019 Manfred Röschlau

Verlag und Druck:
tredition GmbH, Halenreie 40-44, 22359 Hamburg

ISBN Taschenbuch: 978-3-7497-1410-0
ISBN Hardcover: 978-3-7497-1411-7
ISBN e-Book: 978-3-7497-1412-4

Bibliografische Information der Deutschen Nationalbibliothek:
Die Deutsche Nationalbibliothek verzeichnet diese Publikation in der Deutschen Nationalbibliografie; detaillierte bibliografische Daten sind im Internet über http://dnb.d-nb.de abrufbar.

Berthold John Kay Verena

Statt am Tresen zu verwesen
möge man ein Büchlein lesen.

Sollte es auch nicht versäumen
sich statt auf- mal abzubäumen.

Beim Verweilen zwischen Zeilen
mag die Seele sanfter heilen.

Einstimmungen
Schwerwiegend sind die Folgen eines Juxplatz-Besuchs, vermeintliche Bekannte in einem Amtsgericht zu vermuten, sowie die Umtriebe der Mischlingswelpe Biffi zu unterschätzen ...

Wetten auf den Pegelstand einer überzulaufen drohenden Teekanne werden nach einem denkwürdigen Debakel vermutlich nicht mehr so leichtfertig eingegangen werden. Auch scheint die dokumentierende Niederschrift spezieller Geschehnisse um den Löschversuch einer Traktorenhinterachse gehörig zwischen die Zeilen geraten ...

Dass Gliederschmerzen von Vorteil sein können versteht man erst, wenn einmal keine Walküre im Spiel ist. Die Neudeutung des Nibelungenlieds gefällt nicht jedem, scheint aber auf Basis bahnbrechenden historischer Schriftfunde dringend geboten. Auch wird die Nelke erst welken, nachdem Dr. Faustus`, seine Magd schutzlos verstoßen haben wird ...

Wie sich das Leben unter dem drohenden Zugriff eines Staatsanwalts umgestalten ließe erschließt sich dem tief geneigten Zecher erst nach Intonierung seines Nachtgesangs.

Bedeutend gerade auch jener tote Vogel, kaum gewürdigt von einem Kakaotrinker, lauwarm wasserbettseitig liegend, schwindelbewellt von Diana, tränenbeströmt ...

Große Blöße

Zwei Frauen kommen mir entgegen. Eng der Bürgersteig. Eine schleppt Einkaufstüten. Die andere zieht ein Einkaufswägelchen hinter sich her. Beide Damen und ich sind noch etwa gleichweit von einem Hindernis entfernt, platziert inmitten des Trottoirs. Das Störende besteht aus einem temporär aufgestellten Schild, das in zwei übereinander gestapelten Hartgummischuhen verankert ist. Die aber sind ungeschickter Weise nicht längs, sondern quer zum bereits schon schmalen Weg ausgerichtet. Zu beiden Seiten des Schildes sind nur noch ca. vierzig Zentimeter Platz zum Vorbeiquetschen. Normales Gehen geht nicht. Mein gewählter Durchschlupf wird zudem verengt von Zweigen einer ungeschnittenen Hecke. Auf Damenseite bildet das weitere Erschwernis ein Kleintransporter, dessen veritabler Außenspiegel weit in den Bürgersteig hineinragt.

Den Frauen und mir ist die Engstelle bewusst - soweit ich deren Körpersprache deuten kann. Sie befinden sich nun nur etwa drei Schritte eher am Hindernis.

Doch anstatt zügig weiterzugehen bleiben sie unvermittelt stehen. Sie wollten lesen, was auf dem Bauschild steht. Beide, laut lesend, verhedderten sich im aufgeschriebenen Zahlenwust von Uhrzeiten und Kalenderdaten. Mein Weitergehen ist blockiert. Denn nun ragt das Nachziehwägelchen der einen Dame unüberwindbar in jene Lücke, durch die ich plante, mich schlüpfend hindurch zu winden. Links also der Kleinlaster, dann die alte Dicke mit ihren Taschen, die mittlerweile den

Schilderstängel touchieren und zum Wackeln
bringen, was den Lesefluss zusätzlich
erschwert. Unmittelbar neben ihr steht die
Dürre mit dem Wägelchen, das seinerseits
bereits am Gestrüpp des Vorgartens kratzt.

Mir wird zunächst nicht klar, wie ich das
Verhalten der Beiden in mein Wertegerüst
zivilisatorischen Anstandes einordnen soll.
Haben sie mich etwa gar nicht
wahrgenommen? Das konnte nicht sein, stehe
ich doch mittlerweile so nah bei ihnen wie sie
bei sich. Außenstehende konnten leicht den
Eindruck eines vertrauten Dreiertreffens
gewinnen. Oder ignorieren sie mich einfach?
Meine Fassung wankt ob der als absurd und
skurril vorgefundenen Situation. Mir bieten sich
zwei Lösungen. Indes – bieten sich mir wirklich
zwei Lösungen?

Ich könnte mich entweder durch das
mittlerweile von mir so empfundene Ärgernis
hindurchzwängen, was ich dann auch tat, unter
schrillen Huchs, Na-alsos, Na-so-wasens und
na-hören-Sie-mals. Oder ich kann mich dazu
entscheiden, eine der beiden sachte beiseite zu
schieben, um mir auf diese Weise einen Weg
zu bahnen. Gerne hätte ich ihnen auch
Unaussprechliches lauthals entgegen
verbalisiert. Aber das, so mein späterer
Gesprächspartner, dem ich von diesem Vorfall
erzählte, wäre eine unverzeihliche,
zivilisatorisch nicht zu rechtfertigende
Grenzüberschreitung geworden. Denn verbales
Zuspitzen der von mir geplanten Art, so mein
Gegenüber, dürfe man zwar, dies aber nur
schriftlich. Und auch nur deshalb, weil
Zuspitzungen literarisch anerkannte und häufig

angewendete Stilmittel seien, mithin eine Methode, Sachverhalte deutlicher - und damit vernehmbarer, vor allem eindeutiger - zu artikulieren. ‚Pointiertes Schreiben' sei der dafür bereitgehaltene Fachbegriff im Literaturbetrieb.

Literarische Zuspitzungen seien überdies durch die Freiheit der Kunst geschützt, und zwar urheber- ja sogar verfassungsrechtlich sanktioniert! Und daher, dadurch, mithin und durchaus, zulässig. Zulässig und erwünscht wären sie sowieso, wenn nicht sogar – ersehnt! Künstlerich wertvoll aber seien Zuspitzungen allemal! Bei richtigem Einsatz stellten sie samt und sonders eine allerhöchst hohe Kunst dar, zudem noch unterstützt durch das Stilmittel des literarischen Ich …

Und nicht nur das! Wie hoch diese Kunst im normalen Schreibbetrieb zu sein habe, wird behördenseitig regelmäßig überprüft. Denn fehlt es einem Kunstwerk an einer Mindestzuspitzung, kann der Börsenverein des Buchhandels dem Künstler die Anerkennung als Künstler entziehen … Jedenfalls sei die bloße Verbreitung von Informationen bestenfalls Mitteilung, emotionslose Nachricht, belangloses Daherplappern, nimmermehr aber Kunst!

Näheres hierzu regele ein Bundeszuspitzgesetz orakelte mein sich als äußerst kundig ausgewiesener Freund Martin, trägt er doch bereits in seinem Namen das Schützende für alle in Elend geratenen. Denn Artikel Sieben, fuhr er fort, Paragraph zwei, dritter Absatz der zweiten Rahmenrichtlinie der fünften

Novellierung dieser Zuspitzverordnung würde hierzu folgendes ausführen – Zitat:

„Wer unterhalb einer definierten Zuspitzhöhe zu-spitzt (näheres regelt die Zuspitzüberprüfungs-Verordnung des dritten Begleitgesetzes der vierten parlamentarischen Lesung eines der letzten Jahrhunderte), wird ohne die Möglichkeit einer introversiven Dramaturgiekorrektur seines Oeuvres vom weiteren Kulturbetrieb nonplusultriv, mindestens aber plusultrativ ausgeschlossen".

Doch da Kulturelles im wesentlichen Ländersache sei, so Martin weiter, könnte sich dem zuspitzungslahmen Künstler eventuell noch ein Schlupfloch zur Rettung seines Künstlerstatus auftun, etwa mittels Umzugs in ein anderes Bundesland, eines mit einer deutlich tiefer liegenden Zuspitzanforderung. Doch auch hier ist Vorsicht geboten, denn:

Die erwähnte Zuspitzüberprüfungsverordnung des dritten Begleitgesetzes der vierten parlamentarischen Lesung misst die zulässige Gesamthöhe (in einem geheimen Zusatzprotokoll) literarischer Zuspitzungen in Deutschland an der Höhe der Berge im Einzugsgebiet der Republik, und dies - wohlgemerkt - bundeslandbezogen! Beginnend mit dem derzeit höchsten deutschen Berg, der Zugspitze. In der schönen Schweiz beispielsweise wäre das die Dufourspitze. Die Bezugsgröße aber für literarische Zuspitzungen in Deutschland ist und bleibt die Zugspitze!

Von dieser Höhe aus treppt sich alsdann das gesamte literarisch zulässige Zuspitzniveau bundesland-topographisch unerbittlich aber objektiv ab. Zunächst über den Schwarzwälder Feldberg gleitend, erreicht unser Schreibgetriebener den Sachsen-Anhalter Brocken, um sodann über Thüringens Großen Beerberg hinwegzugleiten. Nach einer Umkreisung des hessischen Feldbergs flattert er flugs dem Weißen Stein in Nordrhein-Westfalen entgegen, von wo aus es stracks Richtung Großer Blöße in Niedersachsen geht. Und während die Große Blöße gerade noch so als Berg durchgehen kann, nennt man die höchste Erhebung in Brandenburg logischerweise auch nur noch Heidenhöhe.

Die Schlusspunkte sogenannter Berge auf Bundesländerbasis bildet der Helpter Berg in Mecklenburg-Vorpommern, sowie das irgendwie auch noch zu überfliegende Berliner Gebirge namens Großer Müggelberg. Nach dem Verlassen seiner Flugbahn verlässt der gepeinigte Gleiter diese Berliner Anmaßung wieder, blickt unser Literat ein letztes Mal sehnsüchtig zur Jungfrau auf, stiert verzweifelt in Richtung des Großen Glockners, nachdem er schon seit längerem seinen Frieden mit dem Matterhorn geschlossen hat, um sogleich in der schriftstellerischen Bedeutungslosigkeit eines Maulwurfshügels, ersatzweise Hundehäufchens (Dackelwelpe) zu landen ...

Sollte ich also ein weiteres Mal zwei Damen mit Einkaufstüten und Nachziehwägelchen begegnen scheint allerhöchste Vorsicht geboten ...

Walküre
Strahlend und wallend,
allen gefallend,
Tritte laut hallend,
schritt sie einher,
zur Rechten den Speer.

Zur Linken die Lanze,
geht sie auf's Ganze,
bittet zum Tanze,
in höfischem Glanze.

Zum Klang der Fanfaren,
belauscht von Heerscharen,
ein Meer von Getreuen.
Kein Aufwand sie scheuen.

Doch einen der Knaben
 - wollt' sich an ihr schaben -
warf sie zu den Raben
ins Baumkrongeäst.
Längst ist verwest,
sein trauriger Rest ...

Kampfjungfrau nordisch,
stattliche Frau,
Augen stahlblau,
lässt nur die Helden,
in Walhallas Bau.

Oli Charlo
Ich hätte es ahnen können. Doch genau so
kam es. Ich wählte den Notruf der Behörde für
Süßheitensangelegenheiten, kurz BESÜßT.

Bitter am Apparat. Was kann ich für Sie tun?

Danke, Frau Bitter, danke, dass Sie gleich dran
geh'n, äh, ans Telefon äh, sich die Zeit
nehmen. Einen schweren Fall von Süß hab' ich
zu melden.

Worum geht es, wenn ich fragen darf?

Es geht um süß! Um viel, viel, viel zu süß,
wenn ich das so sagen darf! Was kann ich
dagegen machen? Haben Sie eine Idee
vielleicht? Aber nur in etwa so, dass das Süße
nicht weniger wird oder gar verschwindet.

Sie müssen schon konkreter werden, Herr äh,
wie war Ihr Name?

Oh, entschuldigen Sie bitte Frau Bitter, die
Aufregung, Sauer, Sauer, Tristan mein Name.
Gibt es denn da kein Mittelding?

Kein was?

Also weder zu süß noch zu – entschuldigen Sie
bitte Frau Bitter – zu bitter.

Ja also – geht es da um Bonbons, Marmelade
oder Schokolade oder sowas in der Art?

Äh nun, äh nein, äh irgendwie auch. Aber es
zappelt auch und quietscht …

12

Zappelt und quietscht? Und besteht aus den angeführten Zutaten?

Man könnte es grad meinen. Aber es ist eher auch das Mützchen …

Das … Mützchen … ein besonders seltener Fall von Süß, Herr Sauer. Versuchen Sie doch vielleicht einmal folgendes. Ach nee. Das hilft Ihnen wahrscheinlich auch nicht.

Was? Was hilft mir auch nicht?

Ich dachte, wenn Sie einfach einmal einen etwas größeren Abstand nehmen würden, zu diesem Süßen, mein ich. Aber das vergrößert wahrscheinlich Ihr Problem eher noch, weil 's vielleicht Ihre Sucht sogar verstärken könnte.

Also werte Frau Bitter, das geht ja überhaupt nicht! Weder zeitlich noch räumlich lässt sich der Abstand vergrößern, da haben Sie Recht, das wär' geradezu zu bitter, Pardon zu grausig!

Und wenn Sie 's einmal umgekehrt versuchten? Also, ich meine, wenn Sie sich diesem geheimnisvollen Süßen noch mehr nähern, vielleicht so, dass Sie einfach einmal genug davon haben?

Wie bitte? Genug? Wo denken Sie hin? Das geht schon grad mal überhaupt nicht! Unter keinen Umständen ist so eine Abgewöhnung in Sicht, unmöglich!

Ein wirklich schweres Schicksal, Herr Tristan, Pardon, äh, Sauer, das ist ja sehr bitter, äh, traurig, was Sie da heimsucht …

Ja! Schlimmer kann's nimma kemma, äh, die Aufregung, dann dialektet es bei mir immer ein wenig, äh, ich meine, nicht mehr schlimmer kommen kann das, Frau Bitter ...

Sehr schwer vorstellbar jedenfalls, ohje. Ich leid grad so arg mit Ihnen mit, Herr Drops, äh, Süß, nein Sauer, Tristan, Tristan Sauer Herr, entschuldigen Sie ...

Na, also hören Sie mal ...

Knacks ...

Ausgerappelt
Ein Stelzlein stolz am See stolzierte.
Dem Zoodirektor ward 's zur Zierde.

Es suchend Stein um Stein umwälzte,
bis plötzlich was nach oben schnellste.

Da sprang der Frosch, Herr Immerquick.
Die Stelze fing ihn mit Geschick.

Die ließ ihn zwar noch etwas zappeln.
Doch der wird sich nicht mehr berappeln …

Reichs Reich

Was ich da schriebe sei realitätsfern.

Gewiss, ich hatte den besten Freund eines guten Freundes gebeten, einmal einen meiner raren Prosatexte zu lesen. Ich hoffte, ja ersehnte insgeheim, er möge in diesen von mir sorgfältig und eigens zu diesem Zweck zusammengetragenen Zeilen zumindest jenes Mindestmaß schriftstellerischen Potentials erkennen, das es braucht, um wenigstens im engsten Bekanntenkreis ein quasi-literarisches Lichtlein zu entzünden. Ein Entflammen zu erhoffen ginge demütigst weit über Erwartbares hinaus …

Insofern bedurfte es nur noch eines klitzig kleinen Winzlingserfolgs, denn keinen hatte ich bereits reichlich. Zwar ist auch die Summe der literarischen Misserfolge messbar und trüge rein statistisch zum Nachweis all meiner Bemühungen positiv bei. Diese Variante belegbarer negativer Ansammlungen aber ist ein eher unersprießlicher Gedanke. Allein schon deshalb, weil sich ein negatives Ergebnis seiner Natur nach nur schwer positiv darstellen lässt. Denn einem Ruf aus dem Publikum wie etwa „Möge der Moderator dieser Lesung das Publikum per Ausschluss vor weiteren Verlautbarungen jenes Herrn in Schutz nehmen", ist partout nichts Anerkennendes abzuringen, wäre aber messbar.

Erfolg und Misserfolg sind selbstredend die entscheidenden Klammern, binnen derer sich die Gesamtbewertung eines Oeuvres tragischerweise abzuspielen hat, ergibt doch die Addition von Misserfolg plus Erfolg eine Gesamtansicht dessen, was war, was ist, oder

16

einmal insgesamt gewesen sein wird – an Glücks- allerdings auch an geglückten Pechmomenten. Denn auch Pech muss einem glücken, sonst ist es keines. Und deshalb ist nur geglücktes Pech, Pech. Umgekehrt muss einem aber auch Glück glücken. Und genau darum ringe ich - dass mir Glück vielleicht einmal glücken möge.

Überlegungen dieser Art bringen aber kaum weiter. Eher verstellen sie den Blick auf die Realität, die es ja gerade gilt, darzustellen, wenn auch chiffriert, versteckt etwa hinter Metaphern oder Aphorismen. Und genau an dieser Stelle, an einer professionellen Zuordnung ihrer Bewertung literarischen Getümmels produzieren Literaturkritiker in aller Regel einen kapitalen Widerspruch ihrer Arbeit, den es zu entlarven gilt.

Denn ihr verstellter Blick beklagt etwas, das sie doch gerade aus dem Grundverständnis von Kunst heraus positiv würdigen sollten. Realität an sich ist keine Kunst. Oder etwa doch? Nun. Realität ist zunächst einfach einmal da. Sie umgibt uns ungefragt, treibt und drängt uns zu allerlei, unter anderem auch zu möglichst Rationalem denken, tun, und vielem weiteren. Anders verhielte es sich, stellte der Künstler etwas mit der Realität an, griffe er in sie ein. Dazu aber brauchte es erst einmal Distanz und Abgrenzung. Man hätte der Realität gar zu entfliehen, oder sie dermaßen zu verfremden, sodass die Sinne des Betrachters aufmerken, er sich seine Ohren mal zu-, mal offenhält, sie seine Augen zum Blinzeln, flattern oder fiebern zwingt, gerne auch versucht, verzweifelt einem unwiderstehlich betörenden Duft trauernd, weil

unerreichbar, nachzuschnuppern. Außerdem
hat zu gelten: Nicht gleich jeder Muckser, etwa
der eines Komponisten, Malers oder Autors ist
schon Kunst, geschweige denn hohe. Allein
schon diese Erkenntnis stimmt bedenklich, ja
betrüblich. Denn auch Kunst ist Realität. Zwar
eine ungewohntere als die reale Realität es ist,
weil sie etwa gesellschaftliche Normen oder
sittliche Grenzen überschreitct. Gleichwohl
aber ist auch sie Realität.

Insofern zielt die Kritik des Kritikers an meiner
mir unterstellten Realitätsferne ins Leere. Weil
nur realitätsferne Kunst wirklich Kunst sein
kann. Man könnte auch postulieren: je ferner
Realität, desto Kunst, bildet sie doch eine ganz
eigene Realität ab. Vielen ginge dieses
Kunstverständnis wahrscheinlich zu weit. Aber
so, wie der Herr Kritiker den Begriff der
Realitätsferne in unser Gespräch einbrachte,
klang das negativ. Hätte er wenigsten das
Gespräch eröffnet – etwa mit der Bemerkung:
„Donnerwetter, Sie sind mir aber einer! Ich
habe ja von alledem, was Sie da erdacht und
aufgeschrieben nicht das geringste verstanden,
so, wie ich in meiner realen Welt unterwegs
bin, wo Profanes vorherrscht, Simples
verrichtet werden muss, Kreatives nur stört".
Eine Intervention dieses Niveaus würde mir
immerhin die Chance gelassen haben, mich
klärend, erklärend, vor allem aber auch -
aufklärend einzubringen.

Ausführlich erläuternd hätte ich darlegen
können, mit meinem literarischen Schaffen
doch nur die Gleichgewichtsformel meines
Lebens her-, wieder her- oder aber auch nur
darstellen zu wollen. Im vorliegenden Fall hätte

18

das beispielsweise zu geschehen unter Einsatz von Blatt und Stift, Idee und Tat, innerer und äußerer Formgebung sowie dem Versuch eines Zugriffs auf einen Verleger, mithin auf einen Kenner, der um das Verlegen meines Werkes nicht verlegen sein braucht. Ohne diese frech in den Raum geschleuderte, deplatzierte Kritik wäre mir wenigsten vergönnt gewesen mitzuteilen, dass mir nur noch ein kleines, klar definiertes Quantum an Erfolg fehlte, meinetwegen auch glücksbasiert, hinfort getragen durch das Glück des Tüchtigen daselbst, um meine notdürftig tarierte Lebensbalance -heiß ersehnend - hinzubekommen.

Doch stattdessen - jeder Mensch braucht ohne Zweifel ein sein Überleben sicherndes Quäntchen Anerkennung, in etwa so bemessen, dass es gerade reicht, nicht abzugleiten, zerstört zu werden, etwa durch Umstände unbekannter Art, oder Einwirkungen nicht vorhersehbaren Einflüssen wie etwa niederfallenden Gesteins, Ästen Moorhühnern, etc. Sich schlussendlich im Reflex zu zerstören, physisch wie psychisch zu vernichten als letzte Konsequenz größtmöglich erlittener Pein verzweifeltster Ausweglosigkeit.

Doch noch war ich zuversichtlich, strebte ich doch zielstrebig mit der angestrebten Prüfung, Bewertung und Einschätzung meiner Verlautbarungen nichts Unanstrebbares an. Lange schon hatte ich die Hoffnung dahinfahren lassen, meinen Lesern intensivprosaische Offenbarungen zukommen zu lassen, mithin kobaltblau leuchtende Erleuchtung versprühend, sie ekstatelektrisch gierend nach dem hochdramatischen Handlungsfortgang wühlend, wühlend vorzufinden, sie durch die Seiten – meine Seiten – hetzend.

Doch nun? Der beste Freund eines guten Freundes wusste nicht, dass der ihm vorgelegte Text realitätsfern sein musste, nach alledem, was mir unlängst widerfahren war.

Oder sollte ihm etwa entgangen sein, dass es in großen Teilen der Literaturszene üblich ist, bewusst jedwede Nähe zur Realität zu meiden? Wie sollte sonst Neues entstehen? Das hätte er doch wissen müssen - und wenigstens diese läppische Erkenntnis als Grundlage seiner Beurteilung meiner Darbietungen heranziehen müssen, sensibel und spürnasig, wie ich das Wesen von Literaturkritikern bislang zu hoffen glaubte, kennen zu dürfen.

Was mich jedoch an seiner ersten – und aus meiner Sicht viel zu vorschnellen Reaktion auf meine skriptischen Aufgüsse dermaßen irritierte, enttäuschte und - bei genauer Analyse – zutiefst kränkte, war die Einsilbigkeit, mit der er meine in einem strengen Auswahlverfahren eigens für sein mir bis dato wertvollst geglaubtes Urteil ausgewählten literarischen Beiträge abkanzelte, praktisch wort- und insoweit auch geräuschlos – ignorant verriss!

Sogar mir, einem der allerkleinsten Hobbyliteraten der schreibenden Laienzunft war klar, dass meine von ihm auf so schnöde Weise profanisierte, kleine Prosa, dieser Kategorie neorealen Kunstausdrucks

20

angehörte, ja angehören musste! Gab es denn
sonst nichts zu meinen Eingebungen zu sagen,
außer realitätsfern?

Denn wäre dem so, so müsste ich
augenblicklich jeden Gedanken an eine sich
unmittelbar vor mir auftuende, epochale
Literatenkarriere dahinfahren lassen, übelste
aller üblen Konsequenzen. Ich hätte mich
stattdessen mit Neuem anzufreunden,
schlimmstenfalls mit einem beruflichen
Perspektivwechsel. Denkbar wäre – und nur
zur Not - könnte ich Dackelwelpen dressieren,
spazieren führen oder einfach mal frei lassen,
nun ja …

Anbieten würden sich auch ausgedehnte
Botengänge, etwa auf überlangen Fluren in
Diensten einer Zentralbehörde namens
Hinterhältig Überflüssig Abwegig (HÜA).
Denkbar wäre auch, sich die Zeit zu vertreiben
mit einem selbstgebastelten
Speiseeiswägelchen, dieses vor mir
herschiebend, bisweilen auch nachziehend, am
Sachsenhäuser Mainufer entlang,
halbflanierend, laut bimmelnd, nassgeschwitzt
und Cent zählend.

Doch nicht genug! Der Geringschätzer meiner
Zeilen kaprizierte, ja verbiss sich obendrein
und trotzig mit einer weiteren, allerdings auch
wieder nur sehr knappen, nachgeschobenen
Bemerkung ‚einer zu hohen' - vielleicht meinte
er sogar – ‚einer entschieden zu hohen'? –
‚Realitätsferne' und grenzwanderte ungerührt
und unverdrossen weiterhin auf dem schmalen
Grat brutalst möglicher Zurückweisung meines
Konvolutes. Ich wollte mir doch nur meinen

eigenen Kopf zerbrechen, keinesfalls den des Freundes meines besten Freundes! Denn wäre dem nicht so, könnte ich mir, etwa bei innerer Geneigtheit, das Hirn, sagen wir, von Tante Charlotte zerbrechen. Doch es hilft nichts. Mein Text muss durch die Katzenklappe seiner geistigen Einfaltstür. Einmal da durch, so die unisonische Weltmeinung zur Macht von Literaturkritikern, und ich könnte danach schreiben was ich will, inklusive abgelieferter leerer Seiten – alles gereichte mir zu besten Sellern.

Und nur so nebenbei: Ich bestreite, dass Außenstehende auch nur ahnend ermessen können, wie entsetzlich ein auf so glitschkalte Art malträtierter Prosaiker leidet, mithin einem Künstler, dem nach Wochen noch die Feuchte des Schreckens stirnseitig tropfend entrinnt, angesichts brüsker Zurückweisung seines aus ekstatisch genial geführter Feder Tinte Textes.

Krampf gewunden erinnerte ich jene kälteklirrende Winternacht, in der meine von einer viel zu seltenen, jähen Eingebung hurtig angetriebenen linken Hand von heftigen Schreibbewegungen geschüttelt wurde, nur, weil sie händeringend versuchte, all die plötzlich in mich hineinbrechenden Einzeleinfälle schleunigst zu fixieren, dies aber infolge januarischer Eisesstarre nicht gelingen wollte, und so meine mich in der Literaturszene wahrscheinlich weit nach vorne geschleudert haben würdenden Schlagzeilen nicht vollständig dokumentiert werden konnten.

Doch glücklicherweise fror mein inspiratives Potpourri ebenfalls ein, so dass die vage

Hoffnung gleichzeitigen Auftauens bestand und damit die kleine Chance auf synchronisches Zusammenführen von Stirn und Hand, Hirn und Feder, Geist und Tinte, nicht ganz vom Tische gewischt schien …

Die weihnachtswaldhüttengemütlichkeitsverströmende Situation sehe ich noch klar vor mit. Als wenn es eben erst geschehen wäre, spüre ich noch die in meiner Hand extremrhythmisch zappelnde, tief rotglühende Feder, von mir krallend umfasst, bereit, meine in Tinte überführten Eingebungen in ein Blatt ritzen wollend, noch während des Schreibflusses erfrierend - sinken. Das prägt!

Und Texte, die nicht nur selten sind, weil sie einem nur selten einfallen, sondern beim Niederschreiben noch dazu in der Hand einfrierend erstarren, so dass sie das Papier, dem sie zugedacht, eher nicht erreichen, wachsen dem Impresario verwurzelungsbiologisch ans mitfühlende Poetenherz. Oha! Da tuen sich unikateste Emotionen auf! Ich litt. Trauer verbreitete sich, drang und zerrann, bohrte sich, tief schwarz gewandet, durch ein Gestrüpp schütterer, gleißend heller Haare, und verließ schließlich den Literaturgewaltigen von oben über eine wuchtig hohe Stirn. Doch dann wieder auch Glück! Nur eine knappe Stunde dauert es, meinen vereisten, geistigen Mahlstrom auftauenskausal zu reaktivieren, mittels einer weißen, mitteldick und halblang niedergebrannten, leicht gebogenen, laue Wärme verbreitenden Stearinkerze, die naturfreundehaussatzungsgesetzseitig in jeder Berghütte bevorratet zu sein hatte.

Es bleibt dabei. Auf welch dramatisch eskalierende Weise der Schriftsteller schließlich zu seinem Werk kommt, muss den Herren Kritiker ganz offensichtlich nicht zwingend interessieren. Insofern ist auch der nur ein Leser, ein schnöder Scheinwahrnehmer irgendeiner Information, der - zu als interessant eingeschätzten Texten angelockt, seiner Verlockung erliegend, – und leider - liest.

Doch während ich schon im Begriff bin, verbittert Abschied zu nehmen vom Gang zur nächst gelegenen Jaguar-Automobil-Generalvertretung - der neue Daimler ward gerade angekündigt - erlauschte mein bereits schwerst vor Gram betäubtes, dem besten Freund eines guten Freundes noch zufällig zugewandtes, rechtes Ohr ein zwar amplitudenarmes, doch bedingt wortähnliches Sprechpfeifen.

"Es ist durchaus etwas dran" truxte jener sich doch tatsächlich noch kaum vernehmbar ab.

Und diese nicht mehr erhoffte, unerwartete Zugabe gab unserem Beisammensein tatsächlich noch einen Hauch der so dringend herbeiersehnten Fülle, die mir allerdings im selben Moment wieder davon strömte und mich täuschungsverwirrt zurückließ. Diese von mir zunächst als sehr gewichtig eingestufte Bemerkung erbrachte leider nicht einmal ansatzweise den so dringend benötigten

24

Durchbruch zur Verbesserung meiner literarischen Lebenszwischenbilanzmarktlage.

Dies schien auch der Herabsetzling bemerkt zu haben. Denn mit einem abermals ergänzenden, langgezogenen "Aaabeeer" - ließ er sich sogleich mit einem gekünstelt Spaß vortäuschenden, spärlich kaschierten, herablassend dozierenden und leicht von mir als bedrohlich empfundenen Unterton vernehmen, "die kapitelweise Anhäufung bisweilen unterschiedlichster Buchstaben" sei "entschieden zu weit vom Hier und Jetzt entfernt, vor allem aber – äähh, und welche Botschaft soll, äähh, wollen Sie, äähh … und eigentlich, ääääh ...‟

Erbärmlich ist noch das mildeste, war zu diesem kakophonischen Sprechgesang zu sagen wäre. Diese abgesonderte Einfältigkeit empfand ich als entschieden übergriffig. Vieles war erlaubt, jeden noch so schwachen Moment bin ich bereit, ihm nachzusehen. Aber mir nach all den mühevollst abgerungenen Seiten die Frage nach Botschaft, einer Botschaft? Der Botschaft? Welcher Botschaft? unterschieben zu wollen … Ich hätte, ja, hätte ich? es wissen, mindestens aber ahnen müssen, nach dem bisher dürren Verlauf unserer schütteren Zusammenkunft. Vielleicht. So hatte ich erst einmal die Täuschung zu entsorgen.

Noch während ich im Begriff war, mich von den Resten meines philanthropischen Menschenbildes zu trennen, aufbäumte sich in mir ein bis Dato nicht wahrgenommenes Gefühl von Ehre, Würde, Respekt, Anstand oder Selbstachtung. Dieser Gefühlsgattung ließ ich

nun – zunächst nur nonverbal – freien Lauf,
denn – so hub ich an - wer nicht in der Lage
ist, innerlich aufgewühlt, an, die äußerst
extremen Bedingungen hinreichend zu
würdigen, unter denen dieses, mein bislang
zartestes Textküken, entdotterte, nur um
einmal allerkürzest weltseitig auszuschlüpfen,
aus welchem zielstrebig dereinst wohlfeile,
gewaltige Weltliteratur hervorzugehen droht,
mithin einem Epos, bereit, bereits im Vorhinein
jedes Geschreibsel künftiger, heute noch nicht
einmal angeahnter aber bereits jetzt schon
eindeutig Verriss-geweihter, selbsternannter,
vor allem aber zurecht verkannter,
Autorenscharen hinweg zu fegen, der sollte
sich ohne Kenntnis dessen, was an
Entstehungsentbehrungen dem vorgelegten
Werke zugrunde lag, gefälligst im
ausbleibenden Schweiße seines Unvermögens
ein Urteil abringen, das dann aber auch vor
dem vor ihm knienden, ihn verzweifelt nach
Anerkennung absuchenden Autor, bestehen
muss!

Das hat gesessen! Schon konnte ich mich
wieder anmutig in meinem sanftmütigen,
gelblichtrüben Garderobenspiegel stundenlang
betrachten. Man darf gespannt sein! Als ich
mich wieder halbwegs von seiner erschütternd
kargen Worthülsenattacke erholt hatte,
beschlich mich sogar das Bedürfnis - allerdings
nur insgeheim - zuzugeben, tatsächlich erst
kürzlich eine weitere, erbitterte
Auseinandersetzung mit der Realität gehabt zu
haben. Zwar war ich mir gewohnheitsbewusst
keiner Schuld bewusst, ist sie mir doch -
mitten im Gespräch - ich präsentierte ihr
gerade Auszüge meines ersten Lyrikbandes -
26

unvermittelt abhandengekommen. Ohne eine
ihr nahendes Entfleuchen andeutende
Andeutung sprang sie urplötzlich auf und
machte sich davon.

Hätte sie sich nur aufgemacht. Ich würde
versucht haben wollen, sie bleibensorientiert
umzustimmen. Zudem aber machte sie sich
auch davon.

Bisher glaubte ich, sie doch gut zu kennen.
Gewiss, unsere Zusammenkünfte verliefen
nicht selten etwas flatterig. Aber mich
andeutungslos zurückzulassen wortlos, bar
irgendeiner auf ihr nahendes Verschwinden
hindeutenden Andeutung, die mir eben noch
recht stabil erschienene, vertraute
Gemeinsamkeit unangekündigt zu kündigen.
Das ist neu. Sie warf sich noch die Jacke über,
huschte durch die Wohnungstür, hüpfte, zwei
Stufen nehmend, treppauf, und eh' ich mich
berappelte, schoss sie, die Dachluke
durchpfeilend, jäh gen Himmel.

Ich glitt aus dem mich eben noch wohlig
umhüllenden Fauteuil, stob zu einem der
nächstgelegenen Fenster, riss es mit einer
beherzten, prankenartigen Urgewalt
freisetzenden, wuchtigen Bewegung eher ab als
auf, und rief sie laut bei ihrem Namen.
'Realitääät'! 'Realitä-hääät'!

Was hatte sie dermaßen verstört - und jäh
verstockt? Aktionen dieser Abruptizität waren
ihr bis dato wesensfremd. Ich hatte noch
darauf gesetzt, mit dem kleinen, hinter das
erste ä meines zweiten Rufens nachgestellten
kleinen h mehr Nachdruck meines - wie es mir

schien - laut genugenen Rufens ihres
markanten Namens zu erzielen.

Hirnwärts murmelsteinte mir noch lange die
Suche nach Gründen ihres mich in tiefe
Ratlosigkeit versetzenden Abgangs. Zwar
suchte ich die Gründe auch bei mir. Aber sie
hatte das Gespräch aufgekündigt! Sie hatte mir
keine Chance zur Aufklärung eines
möglicherweise sehr versteckt platzierten
Missverständnisses gelassen, indem Sie Türen-
schlagend, treppenhüpfend und fleuchlings
entstob.

Und mitten in all diese Kalamitäten grätscht
nun der Herr Kritiker mit seinem spitz
nasalierenden 'realitätsfern!'.

Natürlich 'realitätsfern'!

Aber nicht wegen mir! Die Realität selbst hatte
sich entfernt!! Grundlos, unentschuldigt,
spontan davon hüpfend – entgegenwärtigt!

Frechheit! Hätte der angebliche Literaturkenner
sich nicht damit begnügen können, mit nur
einer Frage die Ursache der Realitätsferne in
meinem Werk zu ergründen?

Aber nein! Stattdessen bugsiert er meine
schwerst erkämpften Darlegungen und somit
auch mich in eine kaum darstellbare,
literarische Ausweglosigkeit hinein!

Ich hätte es wissen müssen. Inkompetenz trifft
Weltfremdheit. Kleine Leuchten erzeugen keine
große …

Sein Kampf
Kryptisch darf das Werk nicht sein.
Laut wird ER 's nach draußen schrein.

Sein Gegeifer überschlägt sich.
Beifall IHM, Herrn Überheblich.

Hassausbrüche, Niedertracht.
Fackelträger halten Wacht.

Schützen jene Wahntiraden.
Wer nicht Deutsch, dem muss das schaden.

Und - damit ihr's nicht vergesst -
zwischen Deckel wird 's gepresst!

Jeder muss SEIN Machwerk lesen!
An ihm soll die Welt genesen!
Nahe liegt auch - zu verwesen …

Diana

Gewiss, einen Traum, den man nur vorgibt zu träumen, nennen wir Tagtraum. Tagträume sind meist mit positiven, erbaulichen Phantasien verbunden. Diese Gedankengebäude nennen wir bisweilen auch Luftschlösser oder Wolkenkuckucksheime, Fata Morganen, Chimären, Halluzinationen, oft auch Nirwanen. In diesen homonymen Träumen schafft sich das unter Phantasier-Drang stehende Hirn vorläufig Raum für das geistige Ausleben von allerlei Unerfülltem, seien dies Wünsche, Sehnsüchte, Visionen oder nur Gaukeleien.

So glitt ich doch jüngst in meinem saphirblau metallic lackierten Jaguar XJ dahin, auf meinem Lieblingsweg, zu meinem Lieblingsziel, zu meiner Lieblingsdame – Diana! Gleich werde ich mit ihr eine erotische Begegnung tätigen. Doch während ich mich noch an reinstem Schwelgen bizarrster Tingeleien delektiere, wird mein bislang dimensionalstes Erotikfresko pastellgrün zugeschliert, zugeschmiert, frech überpinselt – von einem ebenfalls besonderen Exemplar meiner umfangreichen Trugbilder-Sammlung.

Nur schwer ist gegen diese freche Verkleisterung anzukommen. Aber ich will jetzt keine Monroe! Nitribitt! Oder sonst eine Amazone!

Mühsam muss ich mir Diana wieder zurück halluzinieren. Und tatsächlich. In einem Akt höchster Konzentration tritt sie wieder, mich erneut und aufs Höchste beglückend, vor meine emotionale Aufladung, klarer und begehrenswerter als eben noch! Zwar blitzt sie nur für einen kurzen Moment auf, den es aber zu nutzen gilt, mich zunächst und Eilens meines ärgsten Widersachers zu entledigen.

Ich entköchere einen von Dianas Pfeilen, lege ihn in das Strumpfband ihres linken Oberschenkels, spanne, ziele, und...? Wahrhaftig! Mit nur einem Schuss entseele ich - mittels Entleibung - den eben noch beschwingt daher trällernden Schwirrilei, einen gemeinen Spatzen. Wenn ich das Wort Spatz schon höre! Geradewegs könnte ich schon den nächsten zerpfeilen ...

Freude kommt auf in mir mit Blick auf dieses gemeuchelte Getier, das nun - ballistisch korrekt - gen Erdreich trudelt, schließlich - schwachdumpf - aufpumpst.

Ich mache mir nun mal nichts aus Vögeln. Und schon gar nichts aus denen mit der anstößigen Gattungsbezeichnung ‚Spatz'. Spätzchen nannte mich schon meine Mutter. Spatzen sind daher der Männer natürlichste Feinde, regelrechte Dreckspatzen sind sie!

Ganz anders aber sieht das Diana. Und ach! Das hatte ich nicht vermutet und schon gar nicht bedacht ...

Wütend entstrapst sie meine lauwarme Hand, ruhend noch schenkelseitig auf seidenem Strumpf, und birgt das verstorbene Gefleuch. Nachdem sie den Grauling entpfeilt hatte streichelt sie ihm – strömend betränt - über sein zartest befiedertes ... Totenköpfchen ...nun ...

Tiefer Neid glomm auf in mir ob dieser idyllischen Einblendung. Die Seifenblase, geistreich von mir und behutsamst bepustet, habe ich grob fahrlässig, zudem noch pfeilschnell, vor allem aber – voreilig! – zerschossen ...

Auf diese Weise entidyllisiert schlich ich mich nun doch in mein nächstes Traumtrugbild, und genau jenes, das gerade noch schuld war am drohenden Verpassen meiner Turtelei mit Diana. Monroe, Marilyn Monroe siegte – erneut zugeschliert und überlagert von Rosemarie ...

Dreiste Physik
Oh, du edles Ruhmesblatt!
Trudel nur auf mich herab.

Wohin sonst sollt Sturm dich lenken?
Unnütz dich im Teich versenken?

Hoffe doch – du wirst ´s vermeiden,
auf wen Fremdes abzugleiten.

Ohne mich je zu berühren
würd' ich deine Huld nie spüren …

Dies wär' nicht nach mei'm Geschmack.
Fall auf mich nun - aber Zack!

Das Treiben der Löscher

Milde, frühe Julinacht. Vereinzelt noch klappern Rollläden ihren Fensterbänken entgegen. Erste Katzen huschen um die Ecken, ihrer Arbeit nachgehend, jagdverliebte, hungrige Schattenrisse. Lautlos auch die Fledermaus, den Angriff vortäuschend, doch rätselhaft verzackend ins Nichts der Nacht entflatternd.

Trocken, die warme Luft. Schwarzschimmernd die Dachsilhouette des kleinen Kirchenschiffs. Hereinfließende Nacht in die weichen Flanken des schwindenden Tags. Eine Laterne leistet noch Widerstand, will den Tag unterstützen, stoisch, schwach glimmend, hinhaltend, diffus, vergebens. Sterne, scheinbar verharrend an gleicher Position, wirken belebend, erzeugen launische Aufmerksamkeit.

Das Laternen-Neon – es könnte stören. Doch gemildert durch blattreiche Hochgewächse rund um den Tisch, an dem wir sitzen, der den Liter trägt, Franken Silvaner trocken, dazu die passenden Kelche, die Zigarren hervorgehobener Güte und auch die rustikale Zierkerze – wirkt dieser Moment eher stimmungsbildend.

Man hat gut genachtmahlt, auswärts, in einem der Nachbarorte, und bereits dort dem trockenen Silvaner löblich zugesprochen, schnörkelloser Trunk, Restsüße nahe Null, eine weitere perfekte, milde Nacht verheißend …

Früh schon hat die Wirtin sich zurückgezogen. Uns noch fürsorglich versorgt mit einer Ersatzflasche gleicher Güte, elf Prozent, idealkühl, Donnersdorf, noch gut verschlossen mit einem Kork-Korken. Ach, wie das passt!

Den ersten Schoppen umschweifslos eingegossen, ausgedehnt beschnuppert und aha gesagt. Aha, und angestoßen! So lag die lange, milde Nacht uns gut zu Blicke. Gerade kommt mir in den Sinn mich doch einmal zu äußern. Über die ländlich frühe Stille, die sich in und um uns ausbreitet. „Über allen Gipfeln ist Ruh" kommt mir in den Sinn. Kaum ein Rauschen in den Wipfeln. Nur ein leises Knistern in den Büschen und Sträuchern. Ein fernes Gebell, ein Katzengezeter halb rechts. Und genau das wollte ich benennen, als plötzlich ein Nachbar in diese Ruhe hineindieselt, heimgekehrt von seiner Spätschicht, in seinem rußenden Golf. Im Gegensatz zum vorangegangenen Abend gibt es heute nur ein kurzes Servus, irgendwas von müde. Gemeinsamer Gesprächsbedarf ist fürs Erste gedeckt. Vom Abend davor, an dem sich noch weitere Ortsgesellen eingefunden hatten, dem allgemeinen Hallodri laut frönend.

Nein. Heute Abend funzelt die schwache Kerze in ihrer honigfarbenen, gläsernen Umhüllung vor sich hin, gerade so, dass man seinen Weinkelch noch findet kann und auch den Aschenbecher, in den es von Zeit zu Zeit gilt, die Asche der Havannas behutsam abzustreifen. Ein verhaltenes Schleif- und Klappgeräusch der Haustür des heimgekehrten Nachbarn leitet über in die nächste Phase dieser immer ruhiger werdenden Stille. Dazu passend kommen mir die wunderschönen Zeilen von Christian Morgenstern in den Sinn,

mit denen er die absolute Stille auch dieser
Nacht einzigartig in Worte fasst.

Die steinerne Familie
aus Marmelstein gemacht.
Sie kniet um eine Lilie,
im Kreis um eine Lilie,
in totenstiller Nacht ...

Jetzt schien mir bald der Zeitpunkt gekommen
zu sein, dieser absoluten Ruhe im Unterdorf,
mit eigenen, leisen dahingemurmelten Worten,
ebenfalls Ausdruck zu verleihen. Die
Morgensternsche Vigilie schwingt noch nach,
als mir ein weiterer Morgenstern in den Sinn
kommt.

Der Rock, am Tage angehabt,
er ruht zur Nacht sich aus;
durch seine hohlen Ärmel trabt
die Maus ...

Welch ein Schabernack! Absolute Befriedung.
Zu dieser frühen Nachtzeit, raune ich, ein
längeres, beiderseitiges Schweigen
durchbrechend, keine Antwort erwartend. Die
letzte Silbe meines gedämpft geflüsterten
Satzes weilte noch im Äther als
ohrenbetäubendes Sirenengeheul erst nur
anhebt, dann aber über uns hereinbricht, um
das eben noch feierlich beschworene
Geräuschvakuum jählings kräftig zu behupen.
Ungläubig sehen wir uns an. Und schon bohrt
sich die zweite kakophonische Bedrängnis in
unser ratloses, staunendes Kichern.

Die Vermutung, Opfer eines Übungsalarms zu
sein, kommt auf. Tatsächlich erschallt das
36

Alarmsignal ein drittes Mal. Das ist Feueralarm! Das ist Ernst! Spätestens als von Ferne weitere Sirenen zu hören sind, verwerfen wir die Vermutung, einer nächtlichen Übungsstunde beizuwohnen. Und während wir noch mutmaßen, ein Feuer in diesem überschaubaren Ort hätten wir doch mitbekommen müssen, und sei es auch nur durch Geruch, rasen auch schon drei Privatautos an uns vorbei, Richtung Mehrzweckhaus, in dem auch die freiwillige Feuerwehr untergebracht ist. Nun erst einmal wieder Stille. In sie hinein öffnete sich genau wieder jener Rollladen, der eben noch rappelnd nach unten gelassen wurde. Unter dem nur halb geöffneten Laden streckt eine alte Dame ihren Kopf hervor, erst geradeaus blickend, dann nach links und rechts, schließlich nach oben, um ebenso lautlos, wahrscheinlich auch ratlos, wieder im Dunkel ihres Gemachs zu verschwinden – kopfschüttelnd.

In die momentan eingekehrte Stille und noch bevor wir wieder einen edlen Gedanken fassen konnten, schlurft, erst leise, dann deutlich vernehmbar, eine hagere, ältere männliche Gestalt des Wegs. Der alte Schuster wandelt in seinem Schlafanzug daher, nicht ahnend, dass jemand um diese Zeit noch im Weingarten vorm Wirtshaus sitzen würde.

„Hallo, Herr Drebert," rief ich ihm zu, nachdem ich ihn erkannt hatte, „Was ist denn davon zu halten?"
„Do brenn 's wohl irgenwo. Aber 's is nix zum senga", fränkelt er zurück. „A Sie sanns, die Frangfurder". Jetzt realisiert er auch seinen nachtverwandelten Aufzug, der ihm nun etwas

peinlich ist, und den wir zu übersehen versuchen. Auf offener Straße im Schlafanzug vor den einzigen Touristen im Ort zu stehen, um nach einer augenscheinlich nicht erkennbaren Feuersbrunst Ausschau zu halten mutet nun auch ihn eigentümlich an. Andererseits. Gerade auch wir Touristen suchen ja das Andere, das Ungewöhnliche, das nicht Alltägliche. So bietet uns dieses spätabendliche Zusammentreffen genau jenes Besondere, von dem noch den Enkeln berichtet werden wird. Gewiss haben wir uns auf einen ruhigen Abend eingestellt. Gerade auch für Städter, die wir ja sind, hat die ländliche Idylle und eine sich darauf senkende, tief und dunkler werdende Nacht ihren ganz eigenen Reiz. Doch diesmal ist 's also die einstweilen nicht zu erkennende Feuersbrunst, die die Bewohner aus ihren Betten treibt, gar im Schlafanzug die Gasse entlang schleichen lässt, die uns in Bann schlägt. Und mit einem mit fester Stimme vorgetragenen „Morgn wiss mess", dreht das Nachtgespenst ab, schlurfend wie es gekommen war, ein Feuer weder gerochen noch gar gesehen zu haben.

Doch nach weiteren drei Minuten bricht das eigentliche Inferno los. Schrilles Getröte von Feuerwehrautos kündet vom Ernst der Situation! Die sicher geglaubte Beschaulichkeit – nun ist sie fraglos dahin. Und als ob es um das Löschen des World Trade Center von Hummelmarder geht, jagen die wohlbetankten, eierschalfarben behelmten Löscher die Dorfgasse entlang, sonderbarer Weise aus dem Ort hinaus, in Richtung der Äcker und des Waldes. Auch die Privatautos – eben noch in den Ort hineingerast, kommen mit hoher

38

Geschwindigkeit wieder an uns vorbei. Sie toben dem Hauptwagen hinterher, weil der wohl weiß, wohin es gehen soll. Wer solch einen Einsatz noch nie erlebt hat wird sich lange nicht schlüssig, welches Stück hier gerade gegeben wird. Zum Löschen auf den Acker? Zum Löschen in den Wald, ok. Ja, vielleicht ein Waldbrand, Juli, Trockenheit, macht einen Sinn. Aber wissen weiß man das nicht ...

Hoffentlich ist der Schlauch lang genug, witzelte ich. Bei so vielen Helfern kann 's schnell mal zu Rangeleien kommen, wer vorne, hinten oder mittig spritzen darf. Wir entschieden uns dafür, so lange zu bleiben, bis die Aktion aufgeklärt ist, hatten wir doch sowieso nicht vor, uns früh zurückzuziehen, noch dazu bei dem hervorragenden Tropfen, den uns die fürsorgliche Wirtin überlies und den superb duftenden Havannas, die in der hervorragenden Luft besonders gut in Szene kamen ...

Doch während immer noch Einsatzkräfte zum Tatort ausrücken, geschieht etwas Wundersames. Ganz offensichtlich hupften parallel zu den Diensthabenden Löschern auch deren Frauen, Bräute oder Freundinnen ebenfalls aus ihren Betten. Das konnte kein Zufall sein. Und im Handumdrehen richten die Damen in direkter Nachbarschaft zum einzigen Hydranten der Ortschaft, der sich nur wenige Meter vor uns und inmitten einer Nebengasse befindet, eine mit reichlich Schnaps angereicherte, die Feuerleute zurückerwartend und sie wieder stärkende Brotzeit an.

Auch wir sind herzlich eingeladen, wurden wir doch unfreiwillig Opfer dieses so bizarren Katastrophenscenarios. Lumpen lassen wir uns nicht und machen uns dadurch nützlich, indem wir so einfühlsam wie nur eben möglich die angerückten Trösterinnen trösten, und auf diese Weise hingebungsvoll die Zeiten der Unruhe liebreizend zu überbrücken uns bemühen ...

Irgendwann, und nach vermuteten unsäglichen Gefährdungen der Einsatzkräfte durch mögliche Rauchvergiftung, Drehleiterpurzeln, gar temporärer Blindheit infolge fehlgeleiteter Spritzwasserstrahle, werden die Helden zurück sein. In schweren Feuerwehrrüstungen steckend, schweißgebadet, dürstet es sie gewiss nach einem ordentlichen Schluck Brandwein, löschen an allen Fronten, sozusagen. Flößt dieses Gesöff doch auch gleich die beruhigende Gewissheit mit ein - ‚Du hast es überstanden, Du hast das Inferno überlebt! Die andern zwar auch aber auch so soll es sein'!

Und tatsächlich. Die Löscher kamen zurück – unversehrt aber reichlich verschwitzt. Was sie zu berichten haben wird Gegenstand eines Berichts des Einsatzleiters werden. Doch nun – und erst einmal – Gaudi! Oh wunderbares, Zusammenhalt spendendes Gemeinschaftsgefühl! Es wurde erzählt, getrunken und Brezen geknappert. Nun kommt auch der Hydrant zum Einsatz. Der Löschwagen war nachzutanken bevor er wieder in seinen Hangar zurückgestellt wurde. Das Betanken indes schien kein Pappenstiel zu sein! Einer der Löschdiener springt vom Wagen ab, in der Hand einen stangenartigen Gegenstand haltend. Er macht sich am Hydranten zu schaffen, und plötzlich und wutsch, zischt eine Fontäne Wassers in nachtschwarze Höhen. Das war so nicht geplant, versichert uns der Hantierende und versucht ein zweites Mal, den Spritzenwagen zu betanken. Doch dann ein neues Malheur. Mitten in die dritte Schnapsrunde lief der Tankkessel über und besudelte zwei drei Umstehende. Die armen Löscher nahmen es gelassen. Schien man schon zu kennen. Vielleicht passt 's auch gerade, so Mitte Juli. Gleichwohl machten sie einen Satz ins Trockene, während der Hydrantenwart in Richtung der Verriegelungsstange hechtete und das Ventil mit wuchtigen Drehbewegungen verschloss.

Der Schuster kam nicht mehr, und die Rollläden bei der alten Dame blieben auch geschlossen. Vermutlich kannten schon beide die Hetz beim Hydranten, nach dem Löschen. Trunken vom Erfolg der rettenden Maßnahmen wurde heftig geplaudert und weißt du noch und du Depp warst überhaupt nicht dabei und du verwechselst die Einsätze und so fort und immer wieder Prosit un redd kei Schmarren ned ...

Nur den Oberlöschmeister quält noch die Aufgabe, einen Bericht schreiben zu müssen. Vor diesem Schreiben hatte er dermaßen Respekt, dass er die paar Zeilen, die in ein Formular einzugeben waren, ehrfürchtig ,anfertigen' nannte. Eine textliche Zusammenfassung noch eben erlebter wildester Ereignisse war seine Sache nicht, nie gewesen, dieser lästige Schreibkram. Das ist aber üblich, notwendig und sogar behördlich vorgeschrieben, geht es doch um einen löschwasserdichten Beleg, auf dessen Grundlage Auszahlungen zu tätigen wären für verbrauchtes Material, Instandhaltung und Bereitstellung. Und diesen Bericht wollte er am Wochenende verfassen, in Ruhe, und mit wohl gewählten Worten ...

Was er aber nicht ahnte, war, dass ihm der Pfiffikus vom Ort zuvorgekommen war. Noch in der Nacht seiner aufreibenden Teilnahme an den umfangreichen Löscharbeiten, und trunken vom anschließenden Gelage, weinseligte er höchst daselbst seinen ganz eigenen Katastrophenbericht, mithin ein Traktat in hingebungsvoller Aufrichtigkeit, den er noch in derselben Nacht des Geschehens nicht nur einfach beim Landratsamt hinterlegte. Nein. Die seinem Papier von ihm persönlich verliehene höchste Bedeutung hatte ihn flugs zum Nachtbriefkasten des regionalen Anzeigenblatts aufbrechen lassen ...

Seer geerdder Herr Gemoinderad, lieber Bädold, war da zu lesen, in Folgee ana droenden Hinderaxee – na! Noch amool. Infolge ana vermuudlich heiß gluffenen Hinneraxee vom Dragdor vom Damichels Albed, rüggden mir naus – nein. Oißo. Vielmea wao's nachad so: Oißo die Hidse von derra kruzifix daamischn Hinneraxee vom Damichels Albed seinen Dragdor had des Schdroh - nein, drodee! es droode erscht amool nur des Schdro anzumzünda, weshalb mir ausrüggn mussdn!!! Mir hodn keine annara Wahl.

Oißo i möged ammol soo sach: Es bod sich uns ein grausligs Bild der Verwüschdung. Verschmurgelde Halmee, dös gonsa Feld väruschd!! Auf aranä Fläche von – song mer amol – von mineschdens einem guuden halbm Gwadradmeder. Un i sog Irne fei und schdelle hiermit schriftlich fest: Grad samma no rechdzeidig kumma!

Was soll I song? Die sich im Einsads befunden habenee Freiwilligee Feuerweehr von Flossnabürn. kurds FFvF, schdelld hiermid den Androch, den Herschdeller vom Damichels Albädd seim Dragdor auf seine hoiß gluffana hinnerschde Aksé hinzumweisen – un, uffgebassd! – die Koschdn von unnarem Einsads zu übernéhmen.

Hoch ach drunkvoll
FFvF –
IA vom Der Vorsidz
gez.
Hammechsbachäschs Eggbert (Bäddi)

Noch nach Wochen berichteten auch überregionale Blätter über die tückischen Unbilden heißgelaufener Traktoren-Hinterachsen auf einem der Äcker der Gemarkung Flossnabürn … und auch die Touristen freuen sich schon auf die nächste Aufführung, aber nur, wenn sie nicht gestorben sind …

Parcours
Zwar streift er die Hürde,
doch dieses mit Würde.
Das Leben ist ein Parcours.

Er krachte ans Gatter.
Null Punkte, Pech hat er.
Das Leben ist ein Parcours.

Den Oxer – gerissen.
Sein Gaul sprang beschissen.
Das Leben ist ein Parcours.

Verheddert die Trense,
jetzt hütet er Gänse.
Das Leben ist ein Parcours.

Sein Sprung übern Wall,
ich hör' noch den Knall....
Das Leben ist ein Parcours.

Und nun - Palisade!
Verstolpert - wie schade.
Das Leben ist ein Parcours.

Der Absturz vom Schimmel
führt direkt zum Himmel....
Das Leben ist ein Parcours.

Das Jagdhorn nun schweigt,
der Ritt ward vergeigt...
Das Leben war ein Parcours...

Betreten schweigt die Mittagsrunde

Es gäbe keine Springbrunnen. Tanzmariechen gäbe es schon, aber keine Springbrunnen. Natürlich gibt es Springbrunnen, widerspreche ich. Jeden schöneren Platz der Stadt ziert ein Springbrunnen.

Ein Brunnen springt nicht. Ist nie gesprungen. Er springt nicht, weil er es nicht kann. Er kann es nicht können, weil er dafür nicht geschaffen ist. Sonst rissen augenblicklich die Wasserleitungen in Stücke, die ihn speisen, zirpt er zurück, und: Wenn da überhaupt was springt, dann ist 's das Wasser. Streng genommen springt aber auch das nicht. Es wird unter künstlich erzeugtem Druck herausgepresst, durch enge Düsen, und was wir dann sehen ist ein lupenreiner Wasserstrahl. Nichts springt da, überhaupt nichts! Kein Brunnen springt, kein Wasser springt. Nur ein Strahl zischt in die Höhe, auf ausdrücklichen Befehl einer Pumpe. Meinetwegen nenn' es springen. Oder beweglich - in unterschiedlichen Formen, je nach Düsenstellung, Stärke des Wasserdrucks und des Unterbrechungsintervalls.

‚Spielverderber' durchgrimmt mich seine Wortklauberei. Natürlich wusste ich, dass Zitronenfalter kein Beruf ist und das Maschinenschutzgesetz keine Maschinen schützt. Dabei ist Springbrunnen ein so schöner Name für das, was da passiert. Wie Schlendrian oder Flaneur etwa. Wie sonst sollte man ihn nennen? Jeder weiß doch, was gemeint ist. Die Stimmung war dahin. Der war halt ein Rechthaber. Unangenehmer Nörgler. Doch Vorsicht. Vielleicht ist er lediglich ein

spröder Analytiker? Zugegeben, ewiges
Hinterfragen ist lästig, kann aber auch klären.
Romantisch ist es aber nicht. Spröde Analytik
lädt nicht zum Träumen ein, eher zu ihrem
Gegenteil, einem strengen Blick, einer scharfen
Kante, illusionslosem Hinnehmen, etwa
befremdlicher Umstände. Analytik fordert ein
strenges, angestrengt anstrengendes Denken,
Nachdenken, Überdenken und - ihrem Wesen
nach - auch Vordenken und gegebenenfalls,
Umdenken.

Dabei wollte ich doch nur schlicht einmal meine
Gedanken schweifen lassen, in meiner ohnehin
schon knappst bemessenen Mittagspause,
einmal kurz entspannen, beim Anblick von
springenden Springbrunnenwasserstrahlen.
Stattdessen diese Strenge, diese seelenlose
Unerbittlichkeit, auch noch bei Tische! Immer
wieder muss der dieses radikalrealistische
Element einbringen, während meiner kargen
dreißig Minuten, hastig mein Pausenbrot
knappern müssend. Käse auf Butter,
bescheibte Gurken drauf, aufgeweicht, die
immer gleichen Kollegen tun es mir gleich,
Halbgematschtes zu schlingen. Auch sie
schnattern, versuchen erst gar nicht,
wenigsten ab und zu einmal ab- oder
umzuschalten. Stattdessen, der Brunnen
springt nicht, das Wasser auch nicht und die
lauwarmen Tomatenscheiben schmecken auch
nicht. Kruzi auch!

Schade. Diesen Realo-Nerds entgeht was.
Romantiker sind da im Vorteil. Sie können
Gedankenmalerei betreiben. Statt immerzu
etwas zu klären können sie statt immerzu zu
klären auch einmal verklären, vielleicht auch

46

aufklären, aufhellen, erhellen, sich etwas zurechtträumen. Und so romantisierte ich mir meine Mittagspause rosa, pink, lindgrün oder ganz allgemein Pastell. Deutlich sehe ich vor mir, wie der Brunnen springt, und auch das Wasser, Sonnenlicht-gebrochen in den Spektralfarben einer Regenbogenanmutung. Und wie sie springen und glitzern, die kleinsten Tröpfchen noch keck bunt, ach, allerliebst. Also so was! So geht Mittagspause. Beinahe wäre der Brunnen mit einem Riesensatz auf dem Gehweg gelandet! Vor Schreck stieß ich ein lautes „Jesses" aus, „dass ist ja gerade noch mal gut gegangen. Habt ihr nicht gesehen, mit welchem Tempo der verdutzte Dackel davonjaulte?"

Betreten schwieg die Mittagsrunde. Dann bat mich mein unmittelbarer Tischnachbar, gequält lächelnd, ‚ganz ruhig' zu bleiben, während mein Gegenüber aufsprang und - sich rasch vom Tisch entfernend - an seinem Mobiltelefon hantierte ...

Einen dermaßen springenden Brunnen hatte ich noch nie gesehen. Schade, dass das den anderen entgangen war. Und der arme Dackel erst. Ob der sich wieder eingefangen hat? Nicht auszudenken, hätte es ihm den Schwanz abgeklemmt oder eines der zu putzigen überlangen Ohren, schlapp hängend …
Ich jedenfalls sitze nun schon seit Wochen im Garten des Sanatoriums. Und schaue auf den beschaulichen Brunnen, und welch Glück, er ist auch ein Springbrunnen. Er ist deutlich kleiner als der im Stadtpark. Gleichwohl, indes und nur so nebenbei: Dieser sanatorische Brunnen wird leider nicht springen. Und obwohl ich ihn tage-

und nächtelang nicht aus den Augen lasse habe ich ihn noch nicht einmal wackeln gesehen. Liegt das an mir? Vielleicht – so sinniere ich - fehlt mir das gemeinsame Kantinenessen, oder mein Pausenbrot, dass mir die Vorstellung eingeflößt haben könnte, einen springenden Brunnen und einen davonpesenden Fiffi zu sehen?

Komisch. Aber hier schmeckt doch das Essen genauso. Ich rätselte, und bemerkte, dass ich in dieser Einrichtung vor jeder Mahlzeit je zwei grüne und vier rote Kügelchen einzunehmen hatte. Man sagt, die sollen mir wieder auf die Sprünge helfen. Wieso aber mir? So ein Quatsch! Ich will doch nicht springen! Der Brunnen soll springen! Das Wasser soll springen! Niemals ich! Wie kommen die denn auch dermaßen Abwegiges? Auch in dieser Umgebung versteht mich niemand. Traurig. Und, anstatt die bunten Kügelchen zu vertilgen, sammele ich sie heimlich und bewahre sie auf in einer wattierten Schachtel. Damit die mir ja nicht klackerten, die kleinen Verräter. Und auch aus Trotz nehme ich die nicht! Auch weil sie schick aussehen. Niemand soll meine wachsende Kollektion mitbekommen.

Als ich schließlich eine flache Handvoll beisammenhatte, warf ich sie in einem unbeobachteten Moment in den Brunnen. Und tatsächlich. Nach zwei Tagen bewegt sich der Brunnen, erst mit einem leichten Zittern. Und nach zwei weiteren Tagen sprang er sogar. Und je mehr ich die hübschen Buntlinge sammelte und in den Brunnen warf desto verrückter sprang der. Oh wunderschöner Hüpfling! Zum
48

Glück war kein Dackel in der Nähe, dem die umherfliegenden Brunnenbrocken Schaden hätten zufügen können. Sehr schade nur, dass keiner meiner ehemaligen Kollegen hier ist. Diesen Ignoranten hätte ich allzugernest meinen neuen, springenden Brunnen gezeigt, was sage ich, bewiesen!

Ringelnatz
Klopstock fragt Herrn Ringelnatz:
Macht das Dichten Dir noch Spatz?

Patz auf, Dir erzähl' ich watz,
exklusiv von Ringelnatz:

Neulich, als ich ruht' und ratzte,
mir die Katz' dic Nas' zerkratzte.

Hob die Tatze, haut sein Schatze,
mitten in die Dichterfratze!

Oh, Du edler Lyrikfürst,
dass Du so geschlagen würst!
Ob's Dich wohl nach Rache dürst'?

Lass' das Ganze auf sich ruh'n.
Leg' mir zu - ein Suppenhuhn!

Diese Tierchen sind possierlich,
selbst im Kochtopf noch manierlich.

So nebenbei und sapperlot,
fällt mir grad' auf, ich bin ja tot!

Wie kommt's, dass ich Dir Antwort gebe?
Wo doch schon lang ich nicht mehr lebe?

Auch ich bin tot, mein Ringelnatz!
Vor Jahren schon - mit Riesensatz -
sprang ich auf meinen letzten Platz.

Ach! Daher wir gemütlich plaudern.
Mag's die Andren ruhig erschaudern ...

Die linke Hand des Glücks

Zwei Mal schon hätte man ihm auf die linke Hand gespielt! Gewiss, die linke ist seine schwache Hand. Ich, in der gleichen Mannschaft spielend und ihn trösten wollend ob des vermeintlichen Frevels, entgegnete ihm, mir ginge das genauso. Aber meine schwache Hand sei allerdings die rechte, weil Linkshänder. Das hätte ich aber mal lieber nicht sagen sollen. Meine Äußerung provozierte eine emotionale Eskalation seltsamsten Ausmaßes.

Du weißt immer alles besser, wurde ich jäh von ihm angefaucht. Du machst nie einen Fehler!! etc. Schräger Einwand, dachte ich so bei mir. Jetzt nur nicht reagieren. Doch auch Versuche der Mitspieler, den Rechtshänder zu beruhigen, missrieten. Zur Entkrampfung der Situation wechselte ich die Mannschaft. Auch glaubte ich, eine deutliche Alkoholfahne gerochen zu haben. Vielleicht hatte er auch nur einen Whiskey Bonbon gelutscht. Oder fünf oder sieben ...

Als ich mit ihm nach dem Sport ohne die Anwesenheit Dritter unter der Dusche stand nutzte ich die Gelegenheit zu einem zweiten Versuch einer Lageberuhigung. Ich entschuldigte mich, obwohl mir nicht klar war, wofür. Wahrscheinlich des lieben Friedens willen. Doch auch jetzt hatte ich mich ein weiteres Mal gründlich verrechnet ...

Allein schon deine Mimik, blaffte Herr N mich an, wenn man mal einen Fehler macht! Dabei muss N doch seit Jahren schon übersehen haben, wie meine Mimik zerfällt, wenn ich mich über meine eignen Spielfehler ärgerte. Hatte N meine bisweilen lautstarken selbstkritischen Kommentierungen eigener Spielschwächen in all der Zeit überhört? Indes. Das muss ihn nicht zwingende interessieren.

Mit dir spiele ich nie mehr, hub er erneut an, nieeeeee mehr!! Wenn ich dich das nächste Mal hier sehe mach' ich auf dem Absatz kehrt!

Jesses! Was nur hatte den Mitspieler dermaßen aufgebracht? Immerhin hat er mir keine Schläge angedroht. Zwar hätte ich keinesfalls zurückgeschlagen. Aber nur hingenommen würde ich sein Gekloppe auch nicht haben. Wahrscheinlich würde ich ihn nur angrinsen – meine schärfste Waffe. Aber im Angesicht seiner von mir als zu Belächeln empfundenen Wahrnehmung hätte er sich vermutlich erst recht provoziert gefühlt. Und wahrscheinlich wäre dann tatsächlich eine Prügelorgie ausgebrochen. In seiner entsinnten Verfassung wäre auch die Chance groß gewesen, mir obendrein eine Anzeige anhängen, wegen Grinsens. Oder meiner bloßen Existenz.

Bereits nach kurzer Verhandlung würde der Richter mich verdonnert haben. Wegen Provokation eines arglosen, wehrlosen Mitspielers, dem auch noch vorsätzlich auf seine schwache Hand gespielt wurde. Ein klassisches Öl-ins-Feuer-Gießurteil. Ein Schmerzensgeld in Höhe von ca. 50000 Euro, ersatzweise sieben Jahre Einzelhaft wäre da noch die geringste Folge meiner inkriminierenden Handlungen und Äußerungen.

Dann hinge es nur noch ausschließlich von den
Einlassungen meines Verteidigers ab, ob ich
eventuell noch eine Idee milder davonkäme,
etwa mit einem Schweigeverbot während der
Anwesenheit von Mitspieler Niemand. Mir wäre
untersagt, auf meinem Nachhauseweg vor mir
herzubrabbeln. Damit vorbeigehende
Passanten meinen mutmaßlich geäußerten
Unmut nicht mitbekämen.

Zu einer Mindeststrafe gehörte unabdingbar
auch das genau definierte Mimik-, Gestik- oder
Körpersprachverbot. Hinzu käme die Maßgabe,
niemals einen vermutet schwächeren Spieler
der gegnerischen Mannschaft direkt
anzuspielen.

Eine weitere richterliche Verfügung beträfe
meinen Aufschlagwinkel und die Schlaghärte.
Steiler Winkel und die Härte des Schlags
werden richterlich in einen Zusammenhang
gebracht mit der Spielstärke des Angespielten.
Vertritt der Richter die Auffassung, der Gegner
sei meinem Anspiel nicht gewachsen, was ich
als erfahrener Spieler zu erahnen hätte, lauerte
– zunächst – eine mir zugedachte
Bewährungsstrafe, etwa am äußersten Rand
der Skala gelegen, knapp vor meiner
Inhaftierung. Eine Ausnahme wäre, könnte ich
glaubhaft darlegen, meine Kontaktlinsen seien
im Moment der Returnierung des Spielgerätes
verrutscht und ich hätte – buchstäblich aus
Versehen - auf den Falschen gezielt.

Eine sehr gefürchtete, weitere richterliche
Verfügung träfe mich auch ins Mark - ein
Alkoholverbot, mithin die härteste Strafe! Die

unausweichliche Folge wäre, alleine spielen zu müssen. Wo ich doch so gerne Schmetterbälle spiele, hoffend, dass der Gegner nicht an sie herankommt.

Und nüchtern, wie die anderen Mitspieler immer und ausnahmslos sind, säßen sie am Spielfeldrand und würden sich totlachen, wie ich, auf mich allein gestellt, unter dem Netz durchhechtend, meine eigenen Bälle zu parieren hätte. Peinlicher könnte eine Strafe nicht sein. Doch so weit wollte ich es nicht kommen lassen.

Deshalb und notgedrungen zimmerte ich mir einen ganz persönlichen, und nur auf mich bezogenen, Verhaltenskodex zurecht. In ihm werde ich eine Reihe von Statuten festhalten, deren Befolgen von vornherein eigenes Missverhalten auszuschließen hatte.

- Keinerlei Äußerungen während des Spiels.

- Keine Regungen zeigen, die auch nur ansatzweise als Gefühl gedeutet werden könnten. Einzige Ausnahme - ich würde ausdrücklich zu einer Gemütsregung aufgefordert. Etwa mit den Worten ‚Nun, mein kleiner Manni, du darfst jetzt mal zwei Sekunden lang lächeln‘. Für diese Großzügigkeit hätte ich unverzüglich und lautstark zu danken! Angedachte Dankesformel: Zu gütig, danke, danke, werte Mitspieler. Datt hab‘ ich doch nie verdient, usw. (Diese Formel ist im Detail noch mit dem Lächelbeauftragten des Vereins abzustimmen).

- Sinngemäß gilt die Notwendigkeit einer nur mir geltenden Ansage auch in Bezug auf Sportverletzungen. Nach Aufforderung des wie stets und natürlich selbsternannten Schiedsrichters darf ich bei einer Verletzung ‚Aua' sagen – mit maximaler Lautstärke von ca. 30 Dezibel.

- Im Übrigen sind Entscheidungen - gerade auch selbsternannter Schiedsrichter, und davon hat es einige, widerspruchslos zu akzeptieren. Ihren Anweisungen ist stets zu antworten mit den vernehmlich zu sprechenden Worten: ‚Untertänlichstes Jawollll, mein Obertänlichster!'

- Niemals mehr, auch nicht versehentlich, dürfen schwächere Spieler durch direktes Anspiel ausgespielt werden, auch und gerade nicht die nur vermeintlich Schwächeren! Wer zum Kreis vermeintlich schwächerer Spieler gehört, bestimmt der Aufschlagende. Sollte dies über die gesamte Spielzeit glücken, so gelten diese Spiele als mustergültig. Sollten die über die gesamte Spielzeit nicht angespielten Spieler eingeschlafen sein, so hat der Obertänigste die alleinige Deutungshoheit über deren Zustand. Sollten sie durch ihr massenhaftes Herumliegen auf dem Spielfeld den Spielfluss empfindlich behindern, darf der Obertänigste erste Erwägungen zur Abhilfe anstellen.

- Beim Anspielen von vermeintlich starken Spielern ist genauestens auf deren eigene Schlaghandpräferenz zu achten (Links- oder Rechtshänder). Ausschließlich! ist deren starke Hand anzuspielen. Sollte ich dies – auch noch wiederholt – missachten, so habe ich eine Entschuldigung zu intonieren. Bei einmaliger Verfehlung lautet die Formel: Es tut mir leid! Bei fünffacher!!! Verfehlung hatte die Devotional-Formel zu lauten: Es tut mir leieieieieid, also fünf Mal wäre das ‚ei', zu wiederholen, usf.

- Sämtliche Ratschläge der Mitspieler habe ich unmittelbar zu befolgen. Sie sind Gesetz, auch wenn sie sich widersprechen.

- Letzter Alkoholkonsum (max. ein Bier) darf spätestens 24 Stunden vor dem Spiel erfolgen, eine Pilotenregel, die allerdings von einigen regelmäßig unterflogen wird ...

Und tatsächlich. Gleich am nächsten Spieltag bestand dieser Katalog seinen ersten Praxistest. Das Ergebnis führte unsere Mannschaft, und mit ihr den gesamten Verein, bis an den Rand sportlicher Unsterblichkeit. Denn bereits nach einem Jahr ergatterte unser Team den extra und eigens und nur zu diesem Zweck gestifteten Harmoniesportpreis, überreicht auch noch aus den sehr seltenen Händen unseres noch viel seltener in Erscheinung tretenden Vorstandsvorsitzenden ...

Und schon ein Jahr darauf ehrte uns unser Landesvater mit dem ebenfalls eigens für unseren Verein gestifteten Landessportharmoniepreis - in Feingold!!! Und in diesem Jahr - ich wage mich das gar nicht zu sagen - in diesem Jahr wurde zur Übergabe des Bundesharmoniesportpreises die Bundeskanzlerin aus einem Gespräch mit

Erdogan, Putin und Mme Le Pen gerissen, nur für uns herausgerissen, um uns, nein mir, diese Trophäe herzbeflattert auszureichen. Und das alles, nur weil sich vor Jahren der Mitspieler Niemand dermaßen aufgeregt hatte.

Die Kanzlerin schritt über den extra zu diesem Anlass ausgerollten roter Teppich. Der hatte dermaßen flauschlange Haare, dass die Gnädige bisweilen keinen Boden mehr glaubte unter ihren Füßen zu spüren zu können, sich auf ihrem Weg zur Preisverleihung ständig im Flausch verheddernd, auf der gefühlt ca. fünf Kilometer langen Strecke bis zum Übergabepunkt. Gefühlte sechzig Mal rutschte oder flutschte sie dabei aus, bis sie mir mit ihrer etwas linkischen Art und zittriger Hand das etwa neun Kilogramm schwere Gebinde zelebritiös zu überreichen gedachte.

Doch es blieb nicht aus. Die zahlreichen sturzdrohenden Straucheleien der Kanzlerin hatten auch die Trophäe leicht beschädigt. Trotzdem – oder vielleicht gerade deswegen – sah die Gabe nun eher lustig aus. Übersät mit unzähligen roten Teppichfetzen, vornehmlich klebend am obligaten Bundesadler, ergänzend verziert mit Hautfetzen und Blutspuren der Regierenden, zugezogen an zahlreichen Zacken des vergoldeten Eichenkranzes, flossen Ströme von Tränen der Rührung in das Gefäßinnere, das nun unpassend überzuschwappen drohte, noch bevor wir es hastig abtranken …

Den Harmoniesport-Nobelpreis – ursprünglich hatte unser Verein auch diesen fest vor Augen - haben wir indes abgelehnt. Er war begründungstechnisch schlicht zu nahe beim

Friedensnobelpreis angesiedelt, und deshalb nicht hinreichend unikatiös ...

Hartes Training

Der Trainer weiß, René ist jung.
Drum gibt er ihm besonders Schwung,

für eine Übung, neu erdacht,
noch niemand hat sie vorgemacht.

So schnurrt René - in großem Bogen -
grad' wie an einer Schnur gezogen,

entlang der roten Außenlinie,
den Kopf voran, in die Kantine.

Er wähnte noch, hier sei was faul,
da krachte René schon auf's Maul

und spendete in seinem Wahn
ein Schneide- und ein Backenzahn.

Die kullern ziellos durch den Saal.
Der Trainer ruft, versuch's noch mal.'

Du weißt doch jetzt genau wie's geht….
…so leicht wird man zum Schnellathlet…

Mein Gott Schalk

Niederlagen machen ihm nichts mehr aus. Er weiß, dass das Leben nur wenige Siege bereithält. Aber ein einziges Mal noch wollte Ronald Sieger sein. Das allerdings auf ganz großer Bühne! Ronny, wie seine Freunde ihn rufen, werkelte – oder sollte man besser sagen, ferkelte - bereits seit Monaten an der Optimierung seiner neu erdachten Technik eines Toilettenbesuchs, sitzend! Dank beharrlicher Übung gelang es ihm, sein Rückgrat mittlerweile dermaßen durchzustrecken, dass sein abgesondertes Schwemmgut möglichst berührungsfrei in den Orkus plumpste. Ronald hat ein Ziel, nur ein Ziel, das zu erreichen er nahezu jede Entbehrung auf sich nahm.

Dieser Gedanke manisierte ihn geradezu: bei ‚WETTEN, DASS ...' ein einziges Mal wollte der die Saalwette gewinnen. Wenn er antrat, und nur dann, kam nur ein Sieg in Betracht. Mittelmaß war Ronalds Sache nicht.

Ungeduldig wartete er auf die Lieferung seiner durchsichtigen Acrylschüssel, von der die Werbung verspricht, sie sei optimal durchsichtig und nahezu blend- und verspiegelungsfrei. Beste Voraussetzung also für den Weg zum Sieg, der über jeden Verdacht einer Manipulation erhaben sein musste. Jeder noch so kleine Betrugsverdacht musste kategorisch ausgeschlossen werden. Nur so konnte ein Sieg seine volle Größe entfalten, fieberte der Proband in spe in sich hinein. Ein Sieg, nein, der Sieg, durfte durch nichts gefährdet werden, sonst brauchte er gar nicht erst anzutreten. Alle sollten genau sehen, was er tat, wie er es tat, wenn er es denn tat …

Ronny wollte in öffentlicher Sitzung streifenfrei stuhlen. Dazu allerdings musste sein Kalkül aufgehen. Nur jetzt keinen Konjunktiv!! WETTEN, DASS … war längst am Ende, quotaler Sinkflug, nirgends ein Landeplatz. Das erhöhte die Chance für Ronny's Auftritt, so das Kalkül. Praktisch alle irgendwie gängigen Wetten waren schon gewettet. Nur wenige Tabuthemen blieben übrig. Die Kunst, dieser heruntergekommenen Show überhaupt noch etwas Leben einzuhauchen bestand bestenfalls noch darin, sich mit einem noch größeren Tabubruch bei der Saalwette an die Spitze zu setzen. Gelänge dies, so die Spekulation, war er nicht nur in der lokalen, sondern alsbald kloak in der internationalen Fäkalszene ein gemachter Mann. Ihm wäre auf immer dafür zu danken, der Szene ihre Anrüchigkeit genommen zu haben, ihre Anhängerschar gar den Duftnoten-Produzenten der Welt zugeführt zu haben! Eintreten zu dürfen in den Olymp olfaktorischer Galaxis, Parfumeure sein unter seinesgleichen, auch das rechtfertigte jeden Aufwand! Dereinst – so visionierte er weiter - würde eine neue Wissenschaft entstehen, mithin Lehrstühle stuhlologischer Gelehrsamkeit, ein verstörender Gedanke – verwegen, bizarr, anspornend. Das Risiko eines öffentlichen Auftritts für solch hehres, unerhörtes Ziel war selbstverständlich einzugehen.

Gewiss, die Idee, aus Verdautem Geld zu machen, ist nicht neu. Viele hatten das vor Ronny versucht. Und die gegenwärtige

Forcierung der biologischen Energiegewinnung ist ein ernst zu nehmender Ansatz. Doch den wenigsten Forschern gelang das mit dem eigenen Leergut, von der breiten Masse einmal ganz abgesehen... Das wird der wissenschaftliche Durchbruch werden, dabei noch öffentlich, gar öffentlich-rechtlich!

Nachahmer? Chancenlos! Grandiose Großtaten dieser Dimension sind nicht topbar. Wie auch? Vielleicht mit Synchronstuhlen, oder im Rhythmus der Kleinen Nachtmusik? Vielleicht aufwartend mit extra lagen Würsten, der Festlegung von Duftnoten oder farblichen Abschattierungen des Schwemmgutes? Gerne auch verbunden mit einer Geräuschpegelbegrenzung der nicht immer vermeidbaren Flatulenzen? Lachhaft! Alle die nach Ronny kamen würden im Dunkel der Bedeutungslosigkeit verschwinden, sich selber kloakisieren.

Auch aus einem weiteren Grund wollte Ronny unbedingt in die nächste Sendung kommen. Der Conférencier hatte aus Anlass seines dreihundertsten Geburtstags vor drei Wochen noch einmal einen Vertrag für weitere vierzig Jahre unterschrieben. Da Ronny aber in etwa so alt wie Thomy war und er weder ihm noch sich zutraute, diese Zeitspanne auch nur halbwegs unlädiert zu durchmessen, sah er sich zum Handeln gezwungen. Einmal noch wollte Ronny so richtig auf die Kacke hauen.

Doch wie würde Gotty reagieren? Bei all' den scheiß Wetten, die seine Bühne Jahrhunderte ver-(un-) ziert hatten, waren authentische menschliche Ausscheidungen bestenfalls in

Form von etwas Spucke dabei.
Glücklicherweise focht Gotty seit langem den
Quotenkampf. Tom Gotty wusste nur zu gut,
dass schon die millionste Bierflasche vom
dreimillionsten Laster unbeschadet überrollt
worden war, er schon fünfzehn Mal vergessen
hatte, Madonna von der Bühne zu tragen, und
Michael Jackson bereits zum vierzehnten! Mal
mit Herr Hendrix anredete.

Abgefahren, ausgelutscht, abgedreht das alles!

Zudem hauchte die Konkurrenz Mister G. seit
geraumer Zeit und mit zunehmender Stärke
feuchtwarme Atemluft ins Genick. Gerade hatte
ein konkurrierender Sender den 27812
Container für BIG BROTHER installiert. Die
Teilnehmer der 964sten Staffel des
LADYCAMPS wurden wegen Überalterung
gegen „Reanimierte Superstars –
leichtgemacht!" ausgetauscht. Und auch
Günter namens Jauch würde in ca. drei
Wochen den hunderttausensten ‚Hinterher ist
man auch nicht immer schlauer' Anwärter nach
Hause schicken. Harald Schmidt war vor
viereinhalb Jahren an einem gutartigen
Bosheitsanfall zunächst zwar nur erkrankt dann
aber zum Glück aller Abwesenden auch eher
entglitten.

Die Zeit war überreif für Ronnys Auftritt.
Allerdings bildete das beschissene Reglement
noch ein ernstzunehmendes Hindernis. Es
engte zu sehr ein. Beispielsweise durfte sein
Auftritt weder Verletzte, gar Entschlafende
hervorbringen. Religiöse Obsessionen waren
ebenso auszuschließen wie nur dürftig
kaschierte Diskriminierungen. Man durfte sich

nicht einmal lustig machen über den mittlerweile fünfunddreißigjährigen Dackel Bodo von Tom Gerhard, der in der 428. ‚Hausmeister Krause' Verstrahlung aus Versehen den Vereinsvorsitzenden begatten wollte. Die fadenscheinige Begründung von Hessischen Rundfunks (HR 4710 bis 12) lautete: Begattungen seien genuines Recht des Vorsitzenden.

Überdies hatte Ronny den Zusatznutzen seiner Wette argumentativ herauszuarbeiten. Dabei ging es um nicht weniger, als mehrere Millionen deutschsprachiger Haushalte davon zu überzeugen, sich künftig selber der dargestellten Methode zu bedienen.

Denn einmal angenommen, eine ganz normale, Ordnung und Sauberkeit über alles liebende deutsche Hausfrau bekommt zur besten Sendezeit demonstriert, wie der ganz normale Bürger Ronald, in aller Ruhe, streifenfrei stuhlend, einschüsselt. Sofort würde sie die vielfältigen Vorzüge dieser nachwisch- und nahezu putzbefreiten Form fäkaler Entäußerung für ihre künftige Haushaltsführung erkennen und sofort anwenden wollen, so die Botschaft …

Augenblicklich würde sie ihren Mann bedrängen, es dem Ronald gleichtun. Sie würde dem werten Gemahl die Schmackhaftigkeit des klobürstenlosen Stuhlens näherbringen, hätte dieser erst mal die optimale Sitzhaltung eingenommen. Und wenn er das nicht hinbekäme – womit zunächst zu rechnen wäre - hätte sie immerhin einen weiteren Anlass, ihren Gatten zu striezen –

etwa mit dem Schlachtenruf: „Du bist zu blöd für Modern Kacking". Sie jedenfalls wäre fest entschlossen, die neue Technik anzuwenden - schon allein zur Senkung des Verbrauchs umweltbelastender Putzmittel, Senkung des Wasserverbrauchs, usw.

Und tatsächlich! Das Umweltargument verfing. Rony hatte den richtigen Riecher für dass, was gerade beim deutschen Publikum so unnachahmlich gut ankommt: Ordnung, Konformität, Sauberkeit, Sparsamkeit. Nun war auch Thomy überzeugt und mit von der Partie.

Aber da wäre noch die Jury, zusammengesetzt aus Trägern wer weiß welcher Würden. Heilige, Scheinheilige, Eisheilige, Zweiteilige und Zeitweilige, allesamt gewählte Repräsentanten und Onkels des geistig moralischen Aufgebotes europäischer Hochzivilisation.

Nach allem, was dieser erlauchte Kreis schon an Saalwetten hatte durchgehen lassen, war sich auch Ronald seiner Sache gewiss.

Gleichwohl konnte er zu diesem Zeitpunkt nicht ahnen, dass seine Idee zwar gut im Rennen lag, aber an einem winzigen Detail zu scheitern drohte - dem möglichen Publikumsblick auf seinen Zipfel, alias Schniedel, ersatzweise Pendel, Ding Dong, Häng on oder Snoopy. Die Länge dieser Geräteausführung des Kackkandidaten bildete zu allem Verdruss auch noch die entscheidende Hürde.

Alle eventuell auftretenden Imponderabilien waren bereits geistig gemeistert, in langen Versuchsreihen durchgespielt worden. Das

Marketing, die Gerüche, wütende Anrufe kackfeindlicher Kacker (Ironie am Rande: Der Anteil kackfeindlicher Kacker an der Gesamtbevölkerung ist unverändert hoch bei Populationen, die sich sozial in einer hoffnungslos beschissenen Lage befinden, mithin Spießbürger am Spieß ihrer kleinklitzigsten Würstchen).

Noch am leichtesten schien das Zipfelproblem dadurch gelöst werden zu können, indem man Männer von der Wette ausschloss. Doch auch dieser Gedanke zerschellte sogleich am Diskriminierungsparagraphen. Eine weitere Variante wäre gliedseitig in dessen Längenbegrenzung zu sehen. Eine raffinierte Kameraführung könnte herhalten, die den Einstuhler nur von hinten und leicht von oben zeigt. Aber auch hier schien das Risiko zu groß, Millionen sittsamer Zuschauer dem Anblick der Schniedelspitze auszusetzen, sei es auch nur für einen Millisekunde.

Auch wurde eine mirakulöse Wegspiegelung der Peegurke erwogen. Doch keiner der vorgebrachten Vorschläge verfing so richtig. Und dies nur wegen der unzeitgemäßen Bestimmung über das öffentliche Abbildungsverbot von Genitalien, sofern es sich nicht um Kunst handelt, gerade so, als wenn das hier zu Zeigende keine Kunst sein würde, empörte sich nun auch der Intendant, dem die Einschaltquote wegzuflutschen drohte.

In schierer Verzweiflung, und unter erheblichem Termindruck stehend, erinnerte sich Tom eines Indio-Stammes, deren Männer bei der Jagd ihre Pimmel in einem

Holzröhrchen, oder war das vielleicht ein verkehrtherum montierten Eiswaffeltütchen, zu versenken pflegten, nur mit einem dünnen Schnürchen um ihren Hals nach oben gebunden. Aber sollten, ja durften sich überhaupt sich rektal entleerende Indianer auf einer Bühne einem hochzivilisierten, anspruchsvollen europäischen Publikum präsentieren? Auch keine Lösung, und außerdem und ebenfalls extremst diskriminierend!

Der Streit zwischen Thomy und der Jury eskalierte, endete aber glücklich, in einem Kompromiss.

Der Fernseh- und Rundfunkrat schlug vor, der einzig zum Stuhlen Berechtigte sei der hochverdienende, hochverdiente Herr Th Punkt G Punkt - Zipfel hin, Schniedel her! Keine Regel ohne Ausnahme, so die launige Begründung. Und so hatte man mit der Verpflichtung des Allzeitprominenten ganz nebenbei auch einen zweiten Publikumsknaller für diesen Galaabend kreiert.

Ronny hatte es geschafft! Auch wenn er selbst nicht stuhlend brillieren durfte. Seine Wette zog! Wen scherte es da noch, dass der Rest der Bewerber mit ihrer immer gleichen Wettlangweilerei hinten runterfielen, geräuschlos davonplumpsten …

Ein rauschender, ja berauschender Abend fand zu seinem denkwürdigen Höhepunkt. Thomy, wie immer gut aufgelegt, routinierte das Programm ab, schälte sich zur Vorbereitung seines Auftritts zu Klängen der ebenfalls und eigens für dieses Ereignis komponierten Drückberger Symphonie lässig aus seinen Klamotten, dachte kurz an die ihm in einem Geheimvertrag zugestandene Sonderprämie, nahm Platz, drückte ab und - Sieg. Ronny jubelte, Thomy zog die Hosen hoch, schnipste noch einige Kackreste, die sich an seinen versehentlich in die Schüssel geratenen Hosenträgern geschmiegt hatten, ins frenetisierte Publikum und verneigte sich vor der Acrylschüssel.

Nur Tage nach diesem denkwürdigen Event wurde TG von Altbundespräsidentin Angelique Maakrél geadelt. Zum Dank kündigte er für eine seiner mittlerweile unzähligen Jubiläumsshows eine weitere Vertragsverlängerung an. Seitdem frohlockt das Publikum den anstehenden Darbietungen - bis weit nach Jahr 2050 - krampfgerüttelt und fieberbeschubt, entgegen.

#####

Notiz
In seiner am 04.03.2006 ausgestrahlten 161. Sendung WETTEN das ...? forderte Thomas G. dazu auf, sich Wetten einfallen zu lassen, und dabei auch „Körperöffnungen" zu bedenken ... Anlass für diese Aufforderung waren die vom letzten Wettkandidaten mit Hilfe der Zunge in seine beiden Nasenlöcher bugsierten Maiskörner ...

Maladie

Willst du einen Arzt betören,
musst' in dich hinein er hören.

Ein Befund - zum Gott erbarmen -
Aus des Magens Tiefe warnen

pfeifende 'So Hilf!' Gesänge,
denn des Fahrrads Lenkgestänge,

steckt es doch - in voller Länge -
in der Därme Windungsenge.

Ein Medikus weiß dies zu schätzen.
Der Fall wird ihn in Szene setzen.

In seinen Fachkollegenkreisen
Gab 's noch nie ein Fahrradscheißen …

So haben alle einen Nutzen.
Nur einer muss den Lenker putzen,

nachdem chirurgisch er geborgen.
Wohl besser wär 's, ihn zu entsorgen …

Gerichtsreport
Die Angeklagte, Frau Dorle Kirmes, geborene
Zirkus, verwitwete Juxplatz;
Beruf: Hutmacherin,
Schwester von Baldufried Kirmes, verheiratet
mit Hilda Hilflos,
wohnhaft in
08 15 Querfeld,
Ein Straße 2,

wird verdächtigt, in der Gemeinde Nacht an der
Nebel gemeinsam mit ihrem fernöstlichen
Lebensgefährten Senk Blei die Schiffschaukel
entwendet zu haben.

Richter:
„Angeklagte! Gestehen Sie - und das Verfahren
wird umgehend eingestellt!"

Dorle Kirmes gab sich nach intensiver Beratung
mit ihrem Advokaten Woord veer Dreher einen
Ruck – und - stritt den Vorwurf vehement ab!

Eine vom konsternierten Richter gewährte
erneute Bedenkzeit zieht sich mittlerweile ins
vierte Jahr …

Eine Revision kann wegen des schwebenden
Verfahrens nicht beantragt werden.

Dämmerung

Oh! Welch' Wonne!
Zart bricht das Licht
der sinkenden Sonne,
auf Wellen und Gischt.

Noch wärmende Strahlen,
Gedanken so tief,
und Wolken, sie malen
mein Lieblingsmotiv.

Ein Fresko von Goya,
das Häschen von Dürer,
das Pferdchen von Troja,
die Leiche vom Führer.

Glücksmomente

Seit seiner Pubertät musste sie damit leben. Nur sie machte Melchior verantwortlich für die skurrilen Rundflüge. Gleichwohl gedachte sie nicht, unter den wunderlichen Neigungen ihres Sohnes zu darben. Denn immer dann, wenn in ihrem unendlichen Redefluss das Wort ‚Schweigen' fiel, sprang Melchior mit einem gewaltigen Satz auf und kam erst nach Stunden seiner Rundflüge wieder nach unten geplumpst. Man wusste nicht, wo er sich in der Zeit seiner Abwesenheit aufgehalten hatte. Wenn er aus seinen Ausflügen doch nicht immer so ein Geheimnis machen würde, haderte seine Mutter. War doch meist nach solchen Aktionen die Suppe kalt geworden. Lustlos trieben Wurstzipfel in ihr umher, kollidierten gelegentlich mit Kartoffelstückchen oder dem Petersiliengrün. Fettaugen klotzten teilnahmslos zur Decke, gelegentlich auch Richtung Tür. Dafür koche ich nicht, schnarrte die Alte, verbittert wie jedes Mal.

Doch Melchior störte sich nicht an ihrem Geplapper. Einmal gelandet, drehte er sich beseelt im Kreis. Immer rum und rum, im zerschlissenen Drehsessel seines Vaters, den er kaum gekannt hatte. Man munkelt, Melchiors Vater sei Opfer des Selbstfindungswahns seiner Frau geworden, die, jahrelang – latzhosenbehost - ihren Alleinerziehungsstolz öffentlich demonstrierte, wann und wo immer sie hierfür eine Gelegenheit glaubte. Susanne war zwar nur mäßig religiös. Aber wenn ihr kleiner Melchior im Sonntagsgottesdienst geräuschvoll zur Kanzel strebte war dies auch ihr großer Auftritt. Beseelt schritt sie gebieterisch in ihrem wallenden Hippiekleid

72

durch die Reihen, sich ihr flatterndes
Hennahaar mit großer Geste aus der Stirn
streifend und damit zusätzlich alle
Aufmerksamkeit auf sich ziehend, um die
Versammelten der Erlösergemeinde gönnerhaft
von ihrem krakeelenden Melchior zu erlösen.
Dieser und zahlreiche ähnlich gelagerte
Auftritte gelangen aber nun dann, wenn ihr
Mann, eher Hampelmann, nicht anwesend war.

Melchior zog sich gerne auf diesen Sessel
zurück, fühlte er sich doch als natürlicher Erbe
dieses Mobiliars. Und jedes Mal, wenn ihn die
Drehung Richtung Fenster zirkelte, zwirbelte er
mit beiden Händen seine strähnigen Haare zu
einer Art Zopfkringel. Das verdrehte Haar
zottelte dann unsortiert von seinem Kopf herab
und fürchtete die nächste Sesseldrehung,
wegen der erneuten Zwirbelattacke, die
unmittelbar folgte. Nachdem sich diese Manie
eine Weile wiederholt hatte, fiel Melchior auf
die Knie und schaute angestrengt unter das
Sofa. Seine Augen hatten sich erst an das
Dunkel zu gewöhnen. Doch nur selten wartete
er die Zeit der Anpassung ab, sondern begann
gleich mit einer Hand ziellos unter dem Möbel
umher zu fuchteln. Der aufgewirbelte Staub
kitzelte in seiner Nase. Er unterdrückte ein
Niesen und petzte die Augen zusammen.
Melchior hielt jetzt Ausschau nach etwas, das
zu rascheln schien. Dem wollte er nachgehen,
auch weil er glaubte, genau dieses Geräusch
bereits früher schon einmal gehört zu haben.
Ich höre nichts, raunzte seine Mutter, als er ihr
davon erzählte und ließ ihren Sohn ratlos
zurück. Vielleicht hört sie schlecht, versuchte
er sich ihre als Rückweisung empfundene
Antwort zu erklären.

Aber ich höre was, gräte er trotzig. Und wenn wir Mäuse haben? Oder Käfer? Irgendwelche Parasiten, die sich unter der Lamperie verkrochen haben, um Nächtens schnorrend auf Reise zu gehen? Krümel aufklauben, Schlafende zwacken und immer diese Geräusche machen? Was dann?

Mutter und Sohn wohnten im Erdgeschoss eines im zweiten Weltkrieg nicht zerbombten Mietshauses im Frankfurter Nordend. Die Zimmer waren geräumig. Ess- und Wohnzimmer verband eine milchverglaste Doppelschiebetür, deren Flügel meist zurückgeschoben waren. Das vermittelte ein großzügiges Raumgefühl. Doch trotz der großen Außenfenster waren die Räume dunkel, mitunter düster. Das lag zum einen an der Jahreszeit und dem damit verbundenen zu fahlen Sonnenschein und dessen zu flachem Einfallswinkel. Zum andern war da der große Baum, der allein schon für ein tiefgraues Grunddunkel sorgte. Misslich erschien Melchior auch die Lage des Bades. Um dorthin zu gelangen musste er immer durch das Schlafzimmer seiner Mutter tapsen. Noch heute sind Architekten stolz auf diese Raumanordnung, die sie selbstbewusst `Frankfurter Bad' nennen. Was Melchior außerdem störte, war die Lage der Wohnung im Erdgeschoss. Zwar brauchte er in diesem Altbau mit seinen hohen Decken keine ewigen Treppen zu steigen - womöglich noch in die vierte Etage neben die Bernaus, mit ihrer immerfort kläffenden Töle. Andererseits konnte der böse Räubersmann mühelos durch die Fenster einsteigen. Auch miefte der feuchte Keller bei bestimmten Wetterlagen bis tief in

74

die Wohnung. Und im Winter legten sie sich Zeitungen unter die dickbeschuhten Füße, so kalt fror es vom Keller herauf. Was Melchior aber beständig aufbrachte, war das Ungeziefer, das sich sowohl durch die Fenster als auch über das Treppenhaus leichten Zugang zur Wohnung verschaffen konnte - und dies auch ausgiebig tat. Im Frankfurter Nordend zu wohnen hat halt seinen Preis, schnurrte seine Mutti zurück, seines ewigen Meckerns leid.

Endlich bekam Melchior das Stöckchen zu fassen, das er weit hinten und schon fast an der Rückwand deponiert hatte, vor der das Sofa stand und unter dem er jetzt rumstocherte. Diese Verlängerung ersparte ihm ein zu tiefes Darunterkriechen. Bei diesen Kriechtouren hatte er auch jedes Mal mit immer wieder neuen Spinnweben zu kämpfen. Das verdrängte er gerne, und prompt klebten sie wieder an Händen und Ärmeln. Immerhin schaffte das Stäbchen in seiner Faust Distanz zwischen ihm und einem möglicherweise ekelhaften oder womöglich monströsen Getier, das – aufgeschreckt durch sein ungeduldiges Gefuchtel - panisch in seine Richtung irren könnte. Ein beängstigender Gedanke. Zu seinem Verdruss waren auch wieder einmal die oberen Knöpfe an seinem Hemd nicht zugeknöpft. Es durchschauderte ihn der Gedanke, vermutetes Geschmeiß könnte in seinen Kragenausschnitt huschen, wo er doch gerade - nahezu unbeweglich eingeklemmt - auf dem Bauch lag.

Keinesfalls durfte in dieser Situation das Zauberwort fallen. Melchior würde sich jäh aufbäumen und das Kanapée mitreißen. Zwar liebte Melchior das Zauberwort ‚Schweigen'. Löste es doch in ihm unmittelbar diese traumhaften Sprünge aus, die ihn weit aus der Wirklichkeit davontrugen. Er mochte es, über lange Zeit zirpend durch den Raum zu gleiten, nur getrieben von seiner Phantasie und unerhörtem Schwelgen, in betörenden Bildern und leuchtenden Farben, milde beharft von zuckersüßen Klängen.

Das Wort der Wörter konnte seine Wirkung aber nur entfalten, wenn es seine Mutter aussprach. Dieser Umstand gekettete beide emotional eng aneinander. Wollte Melchior sein Wohlgefühl erhalten musste er die alte Dame ertragen, all ihren Schrullen hinnehmen und ihre Boshaftigkeiten aushalten. Umgekehrt war dieses Wort ihre einzige Macht, die ihr noch über ihren Sohn blieb. Beide wussten um diese Verschränkung, eine Konstellation, unter der beide litten, die sie aber auch nicht auflösen wollten - aus unterschiedlichen Motiven heraus. Auch wenn sie es nicht aussprachen war beiden klar, dass diese Interessensbalance eines Tages beendet sein würde. Beider Leid, aber auch beide Vorteile wäre damit beendet. Ginge das Leben störungsfrei weiter, würde das biologische Moment diesen Verbund auflösen. Andererseits gab es für Mutter und Sohn unterschiedliche Stellschrauben, Einfluss auf den Lauf ihres Zusammenlebens zu nehmen, kleine Spielräume waren möglich.

Doch das Schicksal kam banaler daher, als durch kalkulierte Einflussnahme zu erwarten war. Das Ableben der Dame kam abrupt - Melchiors Mutter erlag einer Herzattacke. Zwar bestand keine unmittelbare Kausalität zu einer der zahlreichen Auseinandersetzung mit ihrem Sohn. Verschämt aber gestand sich Melchior ein, zwei, drei große Sargnägel zum Ableben seiner Mutter eingeschlagen zu haben. Mögliche Folgen sind für ihn keine Kategorie …

Insofern war es nur gut, dass sie bereits ein Alter erreicht hatte, unter dessen gütigem Mantel so allerlei seiner Hinterhältigkeiten schweigend verdeckt werden konnte ...

Gleichwohl. Jetzt hatte Melchior mit dieser neu entstanden Lage umzugehen. Wenn er doch nur nicht so unbeholfen wäre. Was er auch anpackte, er brauchte meist mehrere Anläufe, bevor im etwas gelang. Nicht einmal die Schnüre seiner Schuhe konnte er zubinden. Schnürschuhe musste er aber tragen, weil das in den gesellschaftlichen Kreisen seiner Mutter, denen er qua Familienzugehörigkeit auch angehörte, üblich war. Er seufzte und begann zu schluchzen. Ahnte er doch eine Fülle undurchschaubarer Anforderungen auf sich zukommen. Hilflos verharrte er in seinem Schock. Alle Eigenständigkeit war ihm über Jahrzehnte systematisch abtrainiert worden, nun erkennbares Opfer der zentralen Strategie seiner Mutter, ihn an sich zu binden.

Viel Zeit für Trauer blieb ihm nicht. Ihr Ableben an sich hatte für ihn kaum Bedeutung. Ihren Tod hatte er schon zum x-ten Mal durchgespielt, begleitet von Hasstiraden und Mordphantasien. Jetzt aber musste er sich unvorbereitet einer unbemutterten Wirklichkeit stellen. Die hatte er freilich ausgeblendet, als es in seinen Wutanfällen darum ging, seine Mutter los zu werden. Und auch diese war

Melchior abhandengekommen. Sich über die Folgen eigenen, seines, Handelns, irgendeinen Gedanken zu machen. Immerhin gelang ihm ein Anruf bei der Polizei. Die bot auch gleich ihre Hilfe an, nach der amtlichen Feststellung und Bestätigung des natürlichen Todes seiner Mutter durch einen Arzt, des die Behörde ausgewählt hatte. Sie informierten ein Bestattungsinstitut, das ihm die Bürde der Organisation der Beisetzung abnahm. Das war aber nur eine erste Hilfe für das, was an künftigen Anforderungen auf Melchior zukommen sollte - bei all seiner sozialen Reduziertheit.

Wer sagt jetzt ‚Schweigen', und zwar so, dass es auch die gewünschte Wirkung erzielte? Wenn er es aussprach, passierte nichts, soviel war klar, das hatte er unzählige Male erfolglos ausprobiert. Aber ohne diesen initialen Begriff waren seine Traumreisen jäh und für immer beendet. Melchior fühlte sich im wahrsten Sinne des Wortes aufgeschmissen, emotional am Boden klebend, gelähmt, erstarrt. Und nun fest verkettet mit seiner neuen, täglichen Realität, ohne jede Chance, ihr zu entfliehen. Auch nicht gelegentlich. Jahrzehnte hatte ihn seine Mutter wenigstens temporär verzaubert! Und nun hatte sie diesen Zauber mit ins Grab genommen. All die Jahre hatte sie es verstanden, ihm ein selbstbestimmtes Leben vorzuenthalten. Indem sie ihm genau das nahezu perfekt vorgaukelte. Zwar kamen Melchior immer einmal Zweifel an seinen Lebensumständen. Bisweilen schrie er dann seine Mutter in Momenten größter Erregung krächzend an und schleuderte ihr seine als kümmerlich wahrgenommene Lage schnaufend entgegen. Dabei musste er es aber schon belassen. Denn bereits mit diesen eher seltenen Attacken war seine Widerstandskraft nahezu aufgebraucht. Dieses Lamentieren reichte nicht für einen ersehnten Wandel seiner neuen Situation. Melchior war es nicht gegeben, Ausdauer und Beharrlichkeit aufzubauen. Seine Mutter wusste das, hatte sie doch seine Unselbständigkeit, ja, seine Abhängigkeit von ihr betrieben und brauchte nur zu warten, bis Melchiors Erregungszustände - sie nannte sie despektierlich ‚Scheinattacken' - schnaufend und im Jammerton vorgetragen, resignierend in sich zusammenbrachen.

Wie nun weiter? Physisch war Melchior hinreichend versorgt. Aber wie sollte er jetzt ohne Zutun seiner Mutter an jene Glücksmomente herankommen? Zwar erinnerte er sich seiner ausschweifenden Rundflüge und konnte sich auch immer mal wieder halluzinativ in sie hineinversetzen, in seine erschwirrten Erlebnisse und Phantastereien. Diese abgerufenen Bilder aber waren deutlich blasser als das konkret erflatterten. Auch wiesen Melchiors Erinnerungen zunehmend größere Lücken auf. Zudem schwächte sich deren Leuchtkraft und emotionale Intensität ab. Lohnten sich da überhaupt noch die Mühen des sich Erinnern Wollens?

Das gemeinsame Bad mit seiner Mutter war so ein Erinnerungsfetzen, der es ihm angetan hatte, dem er in seinen Sehnsüchten ganz besonders gerne nachhing, der sich immer mal wieder durch seine Trübsal nach vorne drängte. Baden mit seiner Mutter. Das war Melchior vertraut. Schon vor seiner Geburt schwamm, schwebte und ruderte er im wärmenden Uterus, planschte und spritze mit Fruchtwasser. Samstag war Badetag. Daran hatte sich bis zu ihrem Tod nichts geändert. Bis zu seinem achtzehnten Lebensjahr badeten sie gemeinsam. Das gemeinsame Bad führte über all die Jahre bei Beiden zu keinerlei erkennbarer Reflexion über die absurde Situation. Zwar nahm Melchior seine Mutter im Laufe der Jahre optisch verändert wahr. Als Knirps war er vertieft ins Spiel mit Ente, Plastikfisch und dem vollgesogenen bunten Waschlappen. Dort steckte er den Fisch hinein und freute sich darüber, dass der Lappen nun nicht mehr unterging. Später dann schipperte ein Aufziehdampfer über den Badesee, direkt auf den Busen oder den Bauch seiner Mutter zu, die ihm gegenübersaß, und beim Aufprall alle Plastikmatrosen umfielen.

Da kam ein Gejauchze auf, wildes Spritzen und Schaumgerühr. Spätestens beim Spritzen schritt Mutter ein. Alles durfte nass werden, nur nichts außerhalb der Wanne und ihre Haare. Die pflegte sie gesondert zu waschen. Melchior wurde älter und zunehmend unberechenbarer, auch als Wannenkapitän. Wenn seine Mutter ihm einmal die neue Ente weggenommen hatte pinkelte er heimlich ins gemeinsame Badewasser. Im Grunde setzte er, nun bewusst, fort, was er in kleinkindlicher Unschuld bereits schon früher immer getan hatte; zu pinkeln, wenn und wo und wann ihm danach war. Der schwache Uringeruch, meist leicht überdeckt von süßlichen Schwaden lieblichen Shampoos, ließ ihn darüber rätseln, ob früher Mama nicht auch manchmal ins gemeinsame Wasser gepinkelt haben könnte, so, wie das manchmal roch, als er das olfaktorisch vernehmbar noch nicht gewesen sein konnte ...

Zwar wuchs seine Mutter nicht mehr in die Länge, sie wurde aber dicker, runder, breiter. Dies schien auch der Grund für ihr neues Baderitual zu sein. Seit seiner Volljährigkeit hatte sie die Badegepflogenheiten geändert, wenn auch nur teilweise und nicht grundlegend. Melchior wartete, außenstehend, ihr ein Badetuch bereithaltend, darauf, nun in ihr zurückgelassenes Badewasser steigen zu dürfen. Nur beider Körperumfang nötigte ihnen das Etappenbaden ab, zwangen sie zu ungewollter Trennung.

Die Wanne wurde in all den Jahren durch keine neue ersetzt. Ihre einzige optische Veränderung lag in einer nun deutlich sichtbaren gelblichen Tönung und hässlichen Scheuerspuren um den Ablauf herum. Warum gerade da? Melchior hatte noch nie die Wanne gereinigt. Auch sonst nahm ihm die Mutter nahezu alles ab was mit Haushalt zu tun hatte. Sie kochte gut und reichlich, wohl der Grund dafür, dass sein Vater sie zur Frau nahm. Vieles kam bei ihr in den Kochtopf. Nur Vögel mochte sie nicht. Vögel in jeder Form waren ihr zuwider. Gleichwohl aß sie gelegentlich ein Suppenhühnchen. Ein Hühnersüppchen, zubereitet mit viel Hühnerklein, gut ausgekocht, gegen Erkältung, wie sie immer wieder betonte, wegen der Enzyme. Und nur weil es sie ekelte ließ sie ausnahmsweise zu, dass Melchior sich um den toten Flattermann kümmern durfte. Mehr Selbständigkeit wurde stets und direkt unterbunden.

Spätestens mit seiner beginnenden Pubertät legte es Mama auf die unzerreißbare Bindung ihres Sprösslings an, wurde der strategische Aufbau seiner Rundumversorgung zur einzigen Richtschnur ihres Lebens. Seine Existenz sollte für alle Fälle gesichert sein, gerade auch dann, wenn sie einmal nicht mehr für ihn sorgen konnte. Ihr Spätzchen - so rief sie ihn immer und immer wieder, in vielen Varianten, ihrem geliebten Spatzilein sollte es zeitlebens gut ergehen, natürlich nach ihrer Vorstellung.

Doch allmählich und nahezu unbemerkt verwandelte sich das mütterliche Bestreben nach einer weitgehend sorglosen Kindheit ihres Filiusses in ein zunächst subtiles, nach und nach aber stabiles Abhängigkeitsverhältnis. Gleich einem Kokon wickelten sich beide einander ein. Melchiors zunächst als Aufmüpfigkeit wahrgenommenes „Ich will aber" griff die Mutter geschickt auf und transformierte den fordernden Trotzton in ein lieblich klingendes ‚Aber ja, mein Spätzchen, kriegst du gleich'. Gerne durfte Spatzilein auch einmal übertreiben. Oder einfordern. Und wenn er sie dann, völlig abgehetzt zu seinen Diensten, umherwirbeln sah, und sie trotz aller Anstrengungen bereitwillig all seine Wünsche klaglos erfüllt hatte, startete Teil zwei ihrer Zangenzugriffs. Hatte sie erst einmal ihren süßen Spatz auf eine hinreichend hohe Ebene des An- und Einforderns manövriert, reduzierte sie - wohl austariert - ihre Hinwendung zu ihm. Wichtig war hierbei, die Balance zu halten, zwischen seinem konkret empfundenen

Versorgungsdefizit und seiner Hoffnung, durch Wohlverhalten die gewohnt hohe Servicebereitschaft seiner Mutter wiederherzustellen. Keinesfalls durfte eine Situation auch nur andeutungsweise eintreten, die Melchior auf den Gedanken bringen könnte, auch ein Leben ohne seine Mutter verbringen zu wollen.

All ihre Manöver hatte er natürlich längst durchschaut - sich aber, wie er glaubte, zum Schein korrumpieren lassen und scheinheilig arrangiert, in der irrigen Annahme, die Prozesse jederzeit zu beherrschen. Zwar begann er irgendwann einmal zu ahnen, wohl hier und da mal gegensteuern zu müssen, gegen einige Formen seiner ihm wohl nun stärker ins Bewusstsein rückenden Abhängigkeit. Partiell empfand er seine Lage sogar als bereits etwas verfahren. Zu spät! Melchior hatte den zentralen Zeitpunkt für ein Zurück verpasst. Süßes Gift durchströmte sein Hirn. Willenlos lag er auf dem Boden. Noch nicht auf dem Rücken aber schwer angeschlagen kniend vor Mutti, die ihn, nahezu berührungslos niedergerungen hatte. Ohne das Zutun seiner Mutter drehten sich ab nun seine Gedanken eigenständig in denkbar kleinen Kreisen, immer nur dasjenige in seinem Kopf bewegend, was seiner Mutter nicht gefährlich werden konnte, ihn mit ihr innig verband. Seine Gedanken- und Denkwelt hatte sich in einer Weise zusammengefügt und kurzgeschlossen, die Unabhängigkeit nicht mehr zuließ. Eine selbstbefreiende Lösung war buchstäblich nicht mehr denkbar.

Dabei war Melchior keineswegs dumm,
vielleicht etwas tumb geworden, in all den
Jahren gemeinsamer Kokon Spinnerei. Weder
fehlte es ihm an Schulbildung noch an
Außenkontakten. Diese Zeiten relativer Freiheit
liegen aber Jahre zurück. Während er die
Realschule eher gequält zu Ende brachte,
führte sein Umgang zu Anderen, Kindern wie
Erwachsenen, niemals auch nur in die Nähe
von Vertrautheit. Beizeiten achtete seine
Mutter darauf, dass gelegentliches
Zusammentreffen mit Mitschülern gleichförmig,
eintönig und langweilig verliefen, wenn sie
diese Kontakte schon nicht unterbinden
konnte. Sie selbst, kulturell auch eher schmal
dimensioniert, reduzierte ihren Denkaufwand
auf die philosophisch weltanschaulichen Ein-
und Ansichten ihres Frisörs, die dieser ihr, sie
nimmermüde beschnipselnd, episch zukommen
ließ.

Von seiner Mutter über Jahre benebelt, mit
Kaskaden süßlichstem Wortgeklingel,
verringerte sich Melchiors Interesse an seiner
Umgebung, schleichend, kontinuierlich, aus
dem Blickwinkel der Mama gesehen,
strategisch. Bis hin auf die Ebene von Agonie.
Niemand war da, der Melchiors eigenes Denken
anregen wollte, konnte oder durfte. Und so
verkam seine geistige Regheit, wenn sie den
jemals ausgeprägt war, auf das Niveau eines
Tagdiebes.

Melchior haderte eins ums andere Mal mit
seinen Lebensumständen. Was hatte ihm seine
Mutter nur angetan? Für einen Augenblick
erwog er, unglücklich zu bleiben, ab sofort und
auf Dauer, bis ans Ende seiner Tage. Das aber

könnte dauern. Noch auf Jahrzehnte in trostloser Tristesse dahintrüben. Ohne jede Aussicht darauf, an alte Zeiten anzuknüpfen, seine einst erschwebten und erglittenen Geheimnisse zurückzuholen.

Er saß da wie eine vom Imker betäubte Biene, bewegungsarm in seinem überdimensionierten Fauteuil und spleente mit seinem trägen Denken vor sich hin - gelegentlich einfältig summend. Auf den ersten Blick hatte diese Szene etwas Unaufgeregtes, trog aber. Denn Melchior kannte den Zustand von Unzufriedenheit, auch wenn er fortwährend dahinzudämmern schien.

Immer mal wieder schlichen sich Wortwolken oder Gefühlsschwaden seiner verblichenen Vorgesetzten in sein mühsames Denken. Denken, gar nachdenken, hatte Melchior nahezu verlernt, oder wurde ihm abtrainiert, hatte er einmal Ansätze von Eigenständigkeit aufblitzen lassen. So war er erfreut darüber, auch wenn er unter großen Mühen immer einmal etwas in Erinnerung rufen zu können. Doch das, was sich da an Gedanken rudimentär rührte oder sich karg einzustellen wagte war rückwärtsgewandt. Nichts mehr drehte sich in seinem Dusel um Künftiges, geschweige denn um eine Art Plan, der ein paar wenige Koordinaten enthalten könnte, Leitplanken oder Flankierungen für sein weiteres Leben. Mütterliche Umsorgung hatte ihm der Lauf der Natur entrissen. Aus einem Knäuel ungezählter Bemerkungen, die sie in immerwährenden Selbstgesprächen wiederholte, ragte ein bestimmter Themenkreis deutlicher hervor. Immer wieder tauchte eine Passage auf, die

Melchior besonders genoss und die er versuchte, gedanklich schärfer zu fassen.

Die Rede war von gewissen ‚Glücksmomenten'. Glücksmomente, erwähnt in Verbindung mit weiteren Begriffen wie Glückshormone oder Botenstoffe. Melchior vermutete einen Zusammenhang dieser Begriffe, weil er sie immer nur in dieser Kombination und nie getrennt voneinander gehört hatte. Der Begriff Botenstoff sagte Melchior nichts, ebenso wenig wie Glückshormone. Aber mit den Glücksmomenten, damit kannte Melchior sich auf Anhieb aus. Das war es doch, was er empfand, wenn seine Mutter das Wort ‚Schweigen' äußerte und er augenblicklich und überglücklich aus seinem Fauteuil schrapnellte.

Melchior zappelte hilflos in den Gedankenfetzen seiner Mutter. Könnte in diesem Gedankengewirr ein Weg aus seiner unsäglichen Lage führen? Und während er träge und lustlos vor sich hin sinnierte durchschoss es ihn plötzlich wie ein Blitz. Ohne dass sie dies zu ihren Lebzeiten beabsichtige, hinterließ sie Melchior ungewollt einen wichtigen Hinweis, mit dem er sein Leben eventuell doch noch ohne sie in den Griff bekommen könnte. Am Spiegel im Flur klebte seit Jahren ein mittlerweile vergilbter Zettel. Bei genauerem Hinsehen erkannte Melchior darauf eine Telefonnummer und einen Namen - Dr. Vogel. Das war Mutters Arzt zu dem sie ging und von dort immer glücklich zurückkehrte. Melchior hatte all die Jahre keinen Grund, diesen Zettel überhaupt wahrzunehmen. Doch von Langeweile getrieben durchschnoberte er schon seit einiger Zeit jeden Winkel der Wohnung. Und so stieß er auf diesen Papierfetzen. Ärzte spielten bisher in seinem Leben kaum eine Rolle. Er nahm sie nur wahr, wenn seine Mutter ihm dieses oder jenes Präparat mit nach Hause brachte, wenn er mal Schnupfen, Durchfall oder eine Zerrung hatte. Und was sie da vom Arzt mitbrachte, hatte ihm geholfen, wieder auf die Beine zu kommen. Melchior setzte schwerfällig sein Denken in Gang. Konnten Ärzte etwa noch mehr als tropfende Nasen beruhigen? Nicht auszudenken, wenn hier der Schlüssel zur Lösung seines Problems lag. Er war neugierig geworden und hatte mit einem Mal das Gefühl, schneller und genauer denken zu können. Kann denn Neugier, Hoffnung, das Denken verbessern?

Und mit einem aus Verzweiflung und Hoffnung gespeisten Ruck offenbarte sich Melchior diesem Arzt, dem langjährigen Vertrauten seiner Mutter. Im ersten Gespräch tat er zunächst das, was er immer tat, wenn ihm seine verzweifelte Lage bewusst wurde und ihn - außer sich vor Wut - losschnauben ließ. Statt einer Anrede sonderte er dröhnend seinen Lieblingswutsatz ab, mit unmittelbarer Mundberührung des Telefonhörers:

,Die Bürschlein werden sich noch ihre Nägel abfressen! Und können froh sein, ihre Fußnägel noch als Reserve zu haben ...'

Mit dieser Tirade hatte Melchior seine aufgestauten Aggressionen auch schon wieder verbraucht.

Diese unbändigen Ausbrüche waren es auch, die seine Mutter über die Jahre viel Kraft gekostet hatten. Kraft und Energie, die sie brauchte, die Bindung zu ihrem Sohn aufrecht zu erhalten. Und diesen Kraftverlust, oder besser gesagt, das Beischaffen immer neuer Energie für ihren älter und verbrauchter werdenden Körper hatte ihr Arzt zu leisten. Erhebliche Beträge hatte sie investiert. Doch letztlich wurde sie von der Wucht der Nebenwirkungen dieser Aufputschmittel dahingerafft. Davon wusste Melchior freilich nichts - aber der ‚Doktor', wie er den Arzt nannte, der Doktor wusste das …

Der ‚Doktor' war sicher, dass Melchior eines nicht zu fernen Tages Hilfe brauchen würde, hoffend, er würde sie bei ihm suchen. Und tatsächlich. Melchior entnahm dem Stempel auf einem Rezept für seine Mutter den Namen ihres Arztes. Außer einem Zahnarzt und Orthopäden kannte er keine weiteren Doktoren. Wichtig war ihm nur, dass die gefundene Adresse ihn zum Arzt seiner Mutter führte. Das flößt Vertrauen ein, war sie doch bis zu ihrem plötzlichen Ableben eher munter bis aufgedreht. Und gegen einen Herzinfarkt ist auch einem guten Doktor nur bedingt ein Kraut gewachsen. Melchior fasste schnell Vertrauen und erzählte von seinen Nöten. Dabei berichtete er nur von den Symptomen, von denen von denen er annahm, dass sie die Verursacher seiner betrüblichen Lage seien. Seine stockend vorgebrachten, kaum logisch aufgebauten Sätze und Ansichten hätte sich Melchior sparen können.

Zu gut wusste der Arzt Bescheid über die innigen Bindungen von Mutter und Sohn. Auch sie hätte ihm nichts zu erzählen brauchen. Dem Doktor genügte - über Jahre hinweg - ein Informationscocktail aus vorgebrachten Beschwerden, verräterischen, sogenannten Nebenbemerkungen aus fast verschwörerisch geflüsterten Einlassungen der Mutter sowie die Menge und Häufigkeit verschriebener bzw. verabreichter Medikamente. Als erfahrener Arzt ließ er Melchior geduldig ausstottern. So viel Zeit musste er aufbringen, um seine Melkmaschine, von seiner verstorbenen Patientin wegschwenkend, an deren Sohn anzusaugen. Offen blieb allerdings, wer da wen an- oder aussaugte. Sicher ist, dass in diesem Fall beide Seiten – er und Melchior - Vorteile aus der neuen Verbindung ziehen konnten. Dem Arzt war nicht entgangen, dass Melchior besonders an den ‚Glücksmomenten' interessiert war, die seine Mutter immer mal erwähnt hatte. Längst hatte dieser Begriff eine stabile Ankerfunktion in der harmoniebedürftigen Gedankenwelt Melchiors gefunden. Der so abrupt abhanden gekommene Zauber des ‚Schweigens' war schleunigst zu ersetzen, gleichwertig und ohne Rücksicht auf irgendwas!

Der Arzt spürte dieses aufkommende Fieber in Melchior. Er hätte es auch vorhersagen können. Sucht findet immer den richtigen Weg für ihre Befriedigung. Den Knaben brauche ich nicht noch länger zappeln zu lassen dachte er bei sich, damit dieser bereitwilligst empfängt was ich ihm reiche. Der ist noch kaputter als er es bei seiner Mutter schon war. Kein Kunstfehler ist zu begehen. Auf einen Entzug hinzuarbeiten wäre ein kleiner ökonomischer Gau. Wutanfälle in der Praxis ziehen einen Rattenschwanz an Unannehmlichkeiten nach sich. Melchiors Mutter hatte ihm einmal berichtet, wie Melchior dann reagierte. Er nahm dann die Grundstellung eines Boxers ein, der zugleich abwehren und losschlagen muss. In solchen Situationen schoss ihm wohl reichlich Blut in den Kopf, und eines der beiden Augen, das Rechte, drehte sich ein wenig nach innen. Gleichzeitig schob er seine Zunge etwa zwei Zentimeter aus der Mundöffnung, die nun fasst kreisrund war. Mama hatte es allerdings nie bis zum Äußersten kommen lassen. Mit etwas Pech hätte das überlaufende Fass 'Melchior' ihr eigenes, rasches Ende bedeuten können. Doch bevor es zu einer Eruption kam, hob sie beschwichtigend beide Arme und stieß ihr befreiendes 'Schweigen' aus.

Gelegentlich wiederholte sie es zwei-, dreimal, in kurzen Abständen. Sie wollte sichergehen, dass er es nicht überhört hat, bei dem Gezische, mit dem er seine Kampfaufstellung begleitete. Erst wenn er wieder selig umher wirbelte, sein Auf und Ab und Hin und Her genoss, im Fruchtwasser seines Universums planschte, konnte sie sich wieder anderen Dingen zuwenden. Zwar waren die ihr keinesfalls wichtiger als ihr Sohn. Doch manchmal hatte er auch sie total erschöpft. Und Vieles war liegengeblieben.

Melchior war Teil der innigen Verwindung mit seiner Mutter, seitenverkehrt, gespiegelt. Der Arzt wusste, was zu tun war, das glaubte er zumindest. Helfen und heilen, wenigstens aber - lindern. Mit Melchior hatte er es mit einem komplexen, psychomedizinischen, soziokulturellen oder psychosozialen Fall zu tun. Oder von allem etwas, so sein Befund. Einem Krankheitsbild also, das grundlegend anzugehen wäre Deshalb verlegte er sich in einem ersten Schritt auf das Lindern. Der Menge an Symptomen, die lindernd zu kontrollieren waren, standen eine Menge unterschiedlichster Ingredienzien zur Verfügung, die für eine Verbesserung infrage kamen. Und gerade das Krankheitsbild der von Melchior eingeforderten Glücksmomente war trefflich zu behandeln. Das kryptische Frohlocken brachte den Fachmann ins Schwitzen. Dieser Verlockung konnte er nicht widerstehen. War doch die Zahl helfenden Fläschchen, Tuben, Pastillen und Kanülen schier unermesslich, die er da berechnen konnte. Wie einfach doch die Dinge lagen. In jahrelangen Feldversuchsreihen an Melchiors Mutter hatte es Dr. Vogel zu einer gewissen Optimierung bei den Verabreichungen gebracht, die ihn jetzt gezielt in seinen Giftschrank greifen ließen.

Ingredienzien, Kombinationen, Dosierungen und Verabreichungszeiträume von Präparaten waren bereits aufeinander abgestimmt, so dass die Dame zuletzt nur noch anzurufen brauchte, und das Wundermittel wurde ihr in Minutenschnelle bereitgestellt. Eine Gelddruckmaschine, die nun eiligst auch beim verehrten Herren Sohn in Gang zu setzen wäre. Endlich – und die Vorfreude schoss ins Unermessliche, endlich kann der Mixer auch mal ernten, ernten, was er so gar nicht gesät hatte, profitieren von nicht getätigten Investitionen! Risikolose Risiken lagen für ihn weit zurück, bei Melchiors Mutter, diesem Extremkarnickel seiner Pseudoversuche! Was doch ein Körper so aushält, wunderte er sich eins ums andere Mal, seinen Habicht gesichtigen Kopf leicht wiegend. Zwar hatte er sie bis zu ihrem wirklich bedauernswerten Ableben reichlich abgeerntet. Doch nun stand ein weiteres Mal ernten ohne säen an. Der biologische Acker dieser Familie war todesursachiell bestellt. Die in die Mutter gelegte therapeutische Frucht war in ihr aufgegangen und würde nun auf ihren Sohnemann niederkommen. Beide wären überdies auf sonderbare Weise über den Tod hinaus miteinander verbunden. Welch denkwürdiger Zirkelschluss!

Und mit zwei, drei routiniert ausgeführten Tastengriffen lieferte der PC die Daten jenes Präparates, das auch der Mutter löblichst gefiel, stand es ihr doch viele Jahre so unwiderstehlich bei. Eben genau dieses Medikament stellte der Arzt Melchior nun zur Einnahme bereit. Schon allein die Wirkungsverheißungen dieser machten ihn benommen. Spontan riss er im Beisein des Allwissenden gierig die Packung auf und verschlang den gesamten Inhalt. Damit hätte der Arzt rechnen können, er tat es aber nicht. Schlicht hatte er das Volumen von Melchiors aufgestauter Sucht unterschätzt. Der riss indessen seine Jacke vom Garderobeständer und tänzelnde zur Tür hinaus - der Arzthelferin noch ein schwach schmachtatmendes ‚Tschüüüs' zuzuwehen …

Beinahe wäre es zu einer Doppelbeerdigung gekommen. Gruftseitig folgte Melchior seiner

Mutter in nur fünf Wochen. Sein Ende beging er im, dem ein kurzer, intensiver Rausch vorangegangen war. Auch diesmal flog er wieder durch die Weiten seiner Trugbilder. Bei seiner letzten Pirouette touchierte er zum größten Bedauern des Arztes ein blankes Kabel, das er für eine Lichterkette hielt. Doch die Stichflamme aus einer Stehlampe in Melchiors Zuhause hatte dem Arzt buchstäblich die zweite, ungesäte Ernte versengt - welch phantastisches Pechmoment ...

Transformation

Möcht' sie dir nicht vorenthalten,
Vater, Mutter - meine Alten.

Schau, wie Vati 's Nase trieft,
riech', wie ihre Wohnung mieft.

An der Wand ein Hirschlein röhrt,
Kittelschürze niemand stört.

Iss doch mal von dem Gehackten,
zellophanisch Abgepackten.

Oder trink vom Blümchentee.
Plastikblumen am Büffet.

Liebling, schau doch nicht so stier.
merkst du nicht, das sind doch wir.

Maibaum

Ich balanciere auf der Spitze eines Maibaums.

Wie ich da hinaufgekommen bin?
Der Maibaum schwankt. Ein Feuerwehrauto
kommt mit einer Drehleiter. Eine anfängliche
Angst, abzustürzen, verliert sich. Sie wird
abgelöst von einem eigentümlichen Gefühl von
Zuversicht, ja Sicherheit, nicht abzustürzen.

Ich entschloss mich zu einem Gleitflug,
kopfüber abspringend, wenn der Baum wieder
nach vorne wogte.

Und schon war es so weit. Ergriffen von einer
Art kontrollierbarer Euphorie sprang ich ab.

Gleich der erste Flug überwältigte mich. Ich
konnte immer nur denken: Ja ist das denn
möglich?

Mit Armbewegungen beeinflusste ich Flugbahn
und Gleitgeschwindigkeit.

War ein Looping besonders anregend - das
äußerte sich in einem wohligen Bauchgefühl -
wiederholte ich genau diesen Flug. Ich
wiederholte diesen berauschenden Flug, so
lange ich der überflogenen Gegend immer neue
Facetten abgewinnen konnte. Und nur ein
ständig stärker werdendes Verlangen nach
immer neuen Eindrücken ließ mich hin und
wieder meine Flugbahn ändern. Doch
allmählich erlosch auch dieser Zauber. Meine
Landung verlief wundersam weich.

Rauschende Kanzone

Ein holder Knabe - wundermild -
ergreift beherzt der Nadel Schaft.
Die Schallplatte wird eingerillt.
Perfekt klingt die Musiklandschaft.

Welch Hörgenuss, welch Ohrenschmäuse
- und niemand stört das leise Rauschen -
verführt doch das Musikgehäuse
- der Andacht nah - zum innig' Lauschen.

Nur eine macht sich nichts daraus.
Auch weilt sie nicht im Publikum.
Dem Klanggerät entrinnt 'ne Maus.
Vor Schrecken bleich, des Lärmes stumm.

Die traumentrückte Lauschgemeinde
zerfällt, ob des Geziefers Flucht.
Trotz Mozarts Lied, das einst sie einte.
Zu tief des Ekels dunkle Schlucht.

Nun wird allmählich allen klar,
versäumte doch - vorm ersten Ton -
der Knabe hold, ein Unhold war,
des Grammophones Inspektion.

Noch lang denk ich an die Kanzone.
Ein Liederabend - ist nicht ohne ...

Nerd Bert

So liegt denn Nerd Bert auf ihrem Leib. Der aber ist für seine eignen Körpermaße klar überdimensioniert. Zum Zeitpunkt seiner Auswahl der Dame war er nicht vernunftgesteuert. Ausgerechnet jetzt muss er das tun was ihm am wenigsten behagt. Er hat sich zu entscheiden. Die Antwort lässt er erst mal offen. Wichtiger ist ihm erst einmal das wasserbettähnliche wabern seiner beleibten Geliebten. Oder ihr Wabbeln. Ja. Genau wie sie soll sich auch ein akkurat gefülltes Wasserbett anfühlen, äh. Nein, umgekehrt. Egal jetzt, lauwarm, und immer in leichter Wellenbewegung.

Zwischen unten und oben gibt es ja noch die Mitte. Bert hadert, will klären, wo anfangen, wo loslegen, wo verweilen? Am liebsten wäre ihm Gleichzeitigkeit. Das Maximum. Gleichzeitig zwischen ihrem Gesicht, Gehänge, Geschlecht mäandern. Eskalation, multiple choice – so zu sagen. Nur Muschi, nur Brüste, nur Gesicht. Eins nach dem andern. Immer nur das eine. Der vorliegende Damenumfang lässt nur voneinander getrennte Attraktionen zu.

Sein dringendes Problem, so tröstet Bert sich, können auch zierlichere Damen wahrscheinlich nicht lösen. Auch bei denen ist Begehrliches zu weit voneinander entfernt. Das Vorne vom Hinten. Gewiss wäre von vorne nach dem Hintern zu tasten, grapschen oder kneten. Überm Kleid, unterm String. Doch das ständige Oben und Unten, Drunter und Drüber, Vorne und Hinten, das Chaos verhagelt ihm seine Dramaturgie. Eben noch akribisch zurechtgelegt, findet er sich nun nicht mehr zurecht zum finalen Ejakulat.

So oder so zwingen ihn die haptischen Umstände zu immer neuen Entscheidungen. Und die Gier nach Begierde greift den Nackedei am Nacken. Sein gieriges Gezappel scheint die Dame zu beunruhigen. Sie greift ein indem sie Bertl nach oben schwingt. Sie hat für ihn entschieden, diesen Zauderzapfen! Wieder einmal. Ihre Entscheidungsfreude scheint er sogar zu goutieren …

Von ihrem wulstigen Kirschmund besaugt lodert Vorfreude auf, auf das volle Programm. Stehmann between her Möpses, sinniert der kleine Frohlocker. Bert erstarrt. Hat er seine Wildheit übertrieben? Mit seinem ungeduldigen Beschlängeln ihres schwulstroten Mundlochs mittels feuchtsteifer Zunge seinerseits? Luft wird knapp. Nase zugequetscht, plattgedrückt von ihrer rechten Wange fast blutig. Atemnot killt Geilheit. Eins auf die Ohren gehört dir! Batsch, du Bitch, bitchbatsch sausts ihm hirnwärts. Fehlte noch der Hörsturz, na also!

Langsam schiebt er sich nach unten, hindurch zwischen ihren abnormen Riesenschnullern, die er nun wacker versucht gleich- und beidseitig zu umschlingen, zu drücken, zu schieben, zum Schwingen zu bringen mit seinen hilflosen Grapschbatschen. Tittentänze indes erotisieren Bert nur kurzzeitig. Geilheitstechnisch kein Plus findet er. Zuviel Schwabbel. Gewiss. Hoffentlich hält der Glockenturm also nein sowas! Er könnte erneut versuchen, sein Zwerglein klein reibend unterzubringen. Doch schon allein die Optik würde denkbar schräg wirken. Klein

98

Heinrich, landing on Monsterland of the Megamöpses, helpless, if You know what I … and so on …

Gefühlt fühlt Bert unter sich ein falsches Gerät. Rat- und planlos baumelnd, an dicken Stämmen, bedrängt von zu hohen Böcken, aufschauend zu Baumkronen, ein dichter Laubkranz, Unerreichbares ersehnend, wankt sein Ungeist.

Benommen und weiter abwärts also sein Kriechenziel. Richtung des Allerheiligsten. Bücher gelesen. Bilder gesehen. Geschichten und Lieder gehört. Doch das Original! Diese Authentizität! Wo gibt's denn sofas heute noch?

Unrasiert! Jedes Mal neue Optik. Kein weicher Flies, gar Flaum. Der Überstürzer hätte es wissen müssen. Doch wollte er das? Kratzbürstig, scharfkantig, einschneidend! Bauch an Bauch gleitet der Suchende weiter - abwärts. Hinabwärts zum widerspenstigsten Gestrüpp allen Unterholzes. Haare dick wie schwarzgefärbte Streichhölzer, Korkenzieher gekringelt.

Schon dampft's dem Herrn gehörig entgegen. Ja! dieser Cocktail stimuliert! Oder auch wieder nicht. Schwer auszumachen, was Olfaktorius diesmal sagen will. Verschieden schon, das Ergebnis, mit oder ohne zugeschalteten Verstand. Schnüffeln und deuten. Animalisch oder flakonisch. Ferkel oder Pfirsich. Und schon wieder ist es zu spät! Der Kippschalter in Bertls Hirn hat sich ein weiteres Mal von selbst umgelegt! Flakon siegt über Animal, diesmal.

Verstand blockiert spontane Tat! Zensur, Kontrolle, Absturz. Kurze Zeit noch betrachtet Bert ungläubig die Massen. Alles mein! Doch eigentümlich fern, fremd, flüchtig. Ihr Venushügel, mutiert zu einem Drahtwald, bürstig kratzend. Wenn Sie Bürsten wollen, meine Frau ist im Garten. Immerhin – ein Kalauer.

Einen Versuch hat Bert noch. Wendet zunächst die Dame, dann sich und ihrem Hintern zu. Gleiches Spiel. Seine bescheiden kleinen Hände auf ihrem viel zu großen Arsch. Dabei konnte ein Ladyhintern bisher nie groß genug sein, aber nur bei optimaler Form, so der Experte. Wenn die Proportion aber nun einmal so gar nicht stimmt. Und wieder drängen sich unschöne Gedanken nach vorn. Das Diktum eines Freundes zerstört auch hier und nun endgültig die buchstäblich vorliegende Wirklichkeit. Man, so sein Diktum, hätte sich immer Klarheit zu verschaffen darüber, ob man es mit einem Arsch oder einer Kloake zu tun habe. Hätte der mal schön sein Maul gehalten! Doch es half nichts. Auch bei eingehender, prüfender Betrachtung ist dieser Wal, ja, die Dame seiner Wahl, einfach nur disdimensional. Weiterführende Gedanken - zwecklos.

Diesmal hat sich der Protagonist kläglich übernommen. Bert rollte sich ab von ihr und entstöpselte sie an ihrer rechten Fußsohle.

Ex cathedra

In seiner Welt, sie scheint ihm rosa,
schreibt hohen Alters er noch Prosa.

Und Stück für Stück verlässt die Feder.
Bedenklich wackelt das Katheder.

Doch der Katheter wackelt auch.
Hängt unser Autor doch Schlauch,
der Apparatemedizin.
Ein falsches Wort, schon rafft's ihn hin.

Matschi Matschi

Hallo! Du bist aber ein hässliches Schwein!
Ja! Hatte Glück! Niemand wollte mich. Weder
als Wurst, Hackfleisch, Schnitzel oder Braten.
Und was machst du jetzt, so ungegessen?
Spielen. Ich spiele Matschi Matschi!
Wunderschön, das matschi matschi Spiel! Jetzt
haben wir endlich den ganzen Matsch für uns.
Wieso?
Früher waren wir mal zweitausend. Riesenzahl!
Und alle Schweinchen waren nur im Stall. Da
war kein Platz für matschi Matschi.
Wieso?
Kein Platz. Ins Matschibad vom Bauern passen
nur höchstens zehn. Dann ist's voll da.
Und wo sind jetzt die zweitausend?
Weiß ich nicht. Erst wurden wir immer weniger.
Und dann kamen auch keine mehr nach.
Wieso?
Weil Schweinchen essen jetzt verboten ist.
Verstehe! Glück gehabt! Das heißt also, viel
Platz jetzt für euch.
Genau!
Ja, aber wenn keine mehr nachkommen, und
mal eines von euch stirbt?
Dann sind wir ein wenig traurig. Und ein wenig
weniger. Dafür haben wir aber dann noch mehr
Matschiplatz.
Ja - und wenn dann noch eins stirbt, und noch
eins, und noch eins? Bis ihr alle weg seid?
Ja. Allein ist's langweilig. Und ganz allein ist
ganz langweilig und sehr traurig.
Genau!
Aber der Bauer will keins mehr.
Wo ihr doch alle so, so lustig seid, so rosig und
schweineschmutzig gleichzeitig ...
Kann sein. Aber wir sind teuer, sagt der Bauer.
Viel zu teuer und für nichts mehr zu

102

gebrauchen. Und stinken würden wir auch, sagt die Bäuerin. Aber sehr gut würden wie jetzt schmecken, vermutet der Bauer, so bio, fast vegan sagt auch der Tierarzt.

Vegane Schweinderl??

Ja. Halt wenn man genussvoller auf uns rum kaut, und so zirka gaaanz langsam, sagt der Bauer. Nur nicht schlingen, gar würgen, sagt auch die Bäuerin.

Oh, dann gibt's euch letzte Kameraden vielleicht bald auch nicht mehr, so vegan, wie ihr bald seid.

Doch, sagt der Bauer. Töten will er nimmer aber davonjagen will er uns. Dann laufen wir alle frei umher. Er hat gelacht und gesagt „Wie die heiligen Kühe in Indien". Oder ein paar oder ein Paar von uns liefert er ab in einem Hessenpark. Sind da Hessen geparkt? Weiß nicht. Das ist ein Zwischending von Bauernhof und Zoo. Da kommen die hin, die es noch gibt. Manche jedenfalls. Oder die aus Versehen geboren werden.

Wie, aus Versehen?

Die sind durch die Sterilisation gerutscht, übersehen worden oder falsch behandelt, was weiß ich.

Das glaub ich dir nicht. Und wieso Hessenpark?

Sie haben auch Zirkustiere da. Tierzirkus – auch verboten. Und schwups – Hessenpark! Weil die alle vorher eingesperrt waren, die Affen und so. Wir sind ja auch eingesperrt beim Bauern. Aber ich will hier nicht weg. Hab hier Freunde, Futter und Matschi.

Weil du's nicht anders kennst!

Was kenn' ich nicht?

Na, die Freiheit! Da draußen, wo du rumlaufen kannst, wohin du willst. Und wann du willst. Und so lange du willst. Pass auf. Ich mach jetzt mal den Zaun so ein Stückchen auf. Und dann kannst du gaaanz frei entscheiden, ob du bleiben willst oder nicht – schau mich nicht so komisch an. Siehst du, wie schön ich hier draußen umher hüpfen kann. Versuchs auch mal!

Ich glaub', der Bauer will das nicht.

Aha! Siehst du! Du darfst nicht machen was du willst!

Und wo find' ich dann was zu fressen? Da draußen? Wenn ich Hunger hab' – und ich hab' immer sehr viel Hunger. Und wenn ich dann nicht mehr zurückfinde, vor lauter Rumtollerei und Hunger, da draußen?

Nun gut. Ich geb's ja zu. Aber nur ein ganz kleines bisschen geb ich es zu …

Was?

Naja – die Freiheit, die gaaanz, gaaaanz gaaaaaaaaaaaanz große Freiheit – die hat halt auch a bissla a wengla ein Risiko. Aber du bist ein Schweinchen! Schweinchen sind immer die ersten, die was zum fressen finden. Weil ihr ja auch wirklich alles fresst! Und deshalb habt ihr auch nur ein sehr kleines Risiko da draußen in der freien Welt. Ein gaaaaanz klitzig kleiniges Kleinstrisiko. Praktisch nur noch einen kleinen Rest von einem Risiko. Das ist so klein, dass man's schon gar nimmer mehr sicht!

Dann ist das aber sehr sehr sehr allerkleinst!

Ja genau! So klein ist das.

Und meine letzten Kumpels? Was machen die? Wenn's von denen keiner mitkommt, mein Ausflug? Alleine geh' ich nicht!

Ja, dann frag sie halt, deine Kumpane. Dann geht ihr halt alle tzama! Dann tollt ihr rum in der Stadt. Oder am Strand. Sehr schön ist's auch beim Fußball oder beim Autorennen – eine Mordsgaudi sag' ich euch! Versprochen!

104

Wenn ihr da mal nicht unter die Räder kommt,
da draußen …
… a Mordsgaudi gibt's da mit eich Säuli …
… so ein Mordsgaudi, Sakra!
Grunz?

Drahthuhn

Mein Truthahn ist ein Drahthuhn.
An ihm ist kaum was dran.
Niemals wird er ernähren,
die Frau, auch nicht den Mann.

Mein Truthahn ist ein Drahthuhn.
Ist rappeldürr und schmal.
Selbst wenn ich ihn stark würze
- geschmacklich bleibt er schal.

Mein Truthahn ist ein Drahthuhn.
Ist klapprig, kalt und zäh.
Man kann sich sicher denken,
warum ich ihn verschmäh.

Mein Truthahn ist ein Drahthuhn.
Ist nur aus Stahl und Blech.
Will ich ihn doch verzehren,
ich tierisch mich erbrech'.

Mein Truthahn, liebstes Drahthuhn,
doch bleibe, wie du bist.
Du hast auch etwas Gutes,
denn Du machst keinen Mist.

Leben - mit dem Staatsanwalt

Ich bin voller Tatendrang! Gerade wurde ich in den Kirchenvorstand gewählt – als erste Frau in dieser Gemeinde! Auch noch Einstimmig! Und ehe ich mich versehe wird mir - zack - eine Aufgabe übertragen. Einen Artikel soll ich schreiben, für unser Gemeindeblättchen, zum Thema ‚Leben'. Und darüber, woraus das Leben seine Lebenskraft zieht. Der Pfarrer signalisiert mir, wie wichtig der Beitrag sei. Es ginge um nichts weniger als die glaubensbasierte Herkunft des Menschen darstellen, also der Offenbarung, um mi diesem Beitrag gegen die darwinistische, also evolutionäre Herkunftsableitung anzuschreiben. Zwar sei die Frage nach den Antriebskräften des Lebens seit Freud definitorisch deutlich erhellt, aber bei weitem noch nicht - und schon gar nicht abschließend - geklärt.

Auch durch die Wahl ‚unseres' weil deutschen Papstes, wird die Diskussion um die Herkunft des Lebens in jüngerer Zeit besonders befeuert, war er doch vor seiner Wahl Leiter der Glaubensbehörde. Und aus tiefem Glauben heraus glühender Verkünder der glaubensbasierten Herkunft des Menschen.

Und weil wir Protestanten, die zwar keinen Papst haben, aber der laufenden Diskussion hinterherhinken, soll nun schleunigst mein Beitrag her. Das drängt tatsächlich, denn die Lehrpläne sogar der säkularen Schulen werden bereits umgeschrieben, mit dem Ziel, die gottgegebene Herkunft des Menschen deutlicher als bisher zu betonen, eben um Darwin und seinem fundamental irrenden Schreiben von Pseudo-Erkenntnissen den

Garaus zu machen. Und so strebte ich voller
Elan an meinen Schreibtisch, um ebenfalls eine
Lanze zu brechen für die christlich basierten
Überzeugungen von der Werdung von Leben im
Allgemeinen und das des Menschen im
Besonderen. Dem Herren Darwin eins
überzubraten ist gewiss nicht leicht.
Andererseits ist es höchste Zeit, ihn mit seiner
Affentheorie aus den Lehrbüchern zu drängen.
Für den Beitrag stehen mir anderthalb Seiten
zur Verfügung. Nicht gerade viel für dieses
wahrhaftig komplexe Thema. Aber für einen
Einstieg zu einer hoffentlich lebhaften Debatte
sollte mein Beitrag fürs Erste genügen.

Zur Einstimmung auf die Problematik - und
auch für einen ersten, groben Überblick -
recherchiere ich zunächst einmal im
Internetrecherche zum Stichwort 'Leben'.

Zwar schwante mir schon die Qual der Wahl.
Ich rechnete mit einer Unmenge von Einträgen
zu diesem Allerweltsbegriff ‚Leben'. Die werde
ich aber im weiteren Verlauf durch ergänzende,
das Thema eingrenzende Suchwörter in den
Griff bekommen. So der Plan. Also tippe ich
das Wort ‚Leben' ein, drücke die
Suchbefehlstaste und - war perplex! Die
Trefferzahl hat mich jäh verstummen lassen.
Etwa viereinhalb Millionen Einträge binnen 0,08
Sekunden! Ich bin sprachlos, obwohl ich das
ahnte ...

Ich bin aber nur so lange sprachlos, bis ich
meinen Eingabefehler bemerke. Statt ‚Leben'
tippte ich das Wort ‚Lesben' ein. Moment mal.
Wie bitte? Viereinhalb Millionen Anzeigen bei
Lesben? Wahrscheinlich habe ich beim

Eintippen des ersten ‚e‘ von ‚Leben‘ versehentlich das auf der Tastatur schräg darunter liegende ‚s‘ gestreift ... Wie auch immer, gute Güte ...

In meiner Fassungslosigkeit droht mir bereits schon jetzt das eigentliche Thema aus dem Blick zu geraten. Wie ist denn das einzuordnen? Was um alles in der Welt haben mehrere Millionen Stichworte zum Eintrag Lesben zu sagen? Schon ertappe ich mich dabei, das eine oder andere ‚Angebot‘ der Lesben-Links abzurufen. Aus reiner Neugier natürlich, purem Erstaunen, wildem Spekulieren.

Aber als Frau der Kirche, dazu noch in hervorgehobener Position eines Vorstandsmitgliedes widerstehe ich wacker meines forschenden Dranges, doch nur, zunächst ...

Fluchs korrigiere ich meinen Suchbegriff und - schwups - trifft mich erneut der Schlag. Sage und schreibe 152.000.000 Millionen Einträge - oder sollte ich besser sagen: Einschläge? - zum Begriff ‚Leben‘ - und das auch noch in der fast halbierten Suchgeschwindigkeitszeit von nur 0,05 Sekunden?! Mein mir eben noch recht geordnet erschienener Kopf beginnt zu summen. Ganz offensichtlich ist das Weltwissen größer als das des Kirchenvorstandes, meine Gemeinde oder der Christenheit. ‚Mein Gott‘ entfuhr es mir unwillkürlich. Eben noch war ich munter zu Werk geschritten und dann - das!

Gewiss, ich stehe nicht unter unmittelbarem Zeitdruck. Die Abgabe des Manuskripts ist erst in etwa sechs Wochen fällig. Erste, orientierende Arbeiten habe ich mir zwar für heute vorgenommen. Doch unter diesen Umständen?

Ich bekomme meinen Kopf jetzt nicht mehr frei! Unvorstellbare, fast fünf Millionen Treffer zu ‚lesbischen Leben‘ muss ich erst mal verdauen. Zehn Uhr am Morgen. Der Sohnemann ist bis Nachmittag in der Schule. Mein Mann kommt gegen sechs. Bliebe genügend Zeit einmal zu schauen, was im Lesbenportal so getrieben wird. Muss wenigstens das Lesben-Thema wenigstens einmal oberflächlich sichten, um die Birne wieder frei zu bekommen. Bin ja nicht aus Watte. Auch wähne ich mich im richtigen Leben. Ist aber schon erstaunlich, wie mich dieser dämliche – ach wir komisch, dämlich? Ach, wie dämlich, jedenfalls wie mich dieser Tippfehler fast aus der Fassung bringt. Hab wohl ein veritables Informationsdefizit auf dieser Strecke. Speziell was diese Szene angeht. Selber schuld. Ganz offenbar muss man auch da mitreden können. Immerhin sind fünf Millionen Angebote in nur Null Komma Null acht Sekunden nicht so ohne weiteres wegzudiskutieren, egal, was man davon hält. Lesbisches Leben spielt zwar in meinem Leben keine Rolle. Aber die Unwissende, Dumme, Uninformierte, schlimmer noch – eine unaufgeklärte Frau der Kirche will ich keinesfalls sein!

Mir ist zunächst nicht klar, wie ich mit dieser riesigen Datenmenge umzugehen habe. Ich tröste mich damit, es ,nur' mit einem Bruchteil des Volumens zu tun zu haben, dass bei meinem eigentlichen Stichwort ,Leben' angefallen ist.

Ich tippe also wieder – diesmal aber bewusst – ,Lesben' in den PC ein. Die erste Seite springt auf, und ich lese zunächst einiges Fettgedruckte. Gleich auf der Startseite blinkt mir die Zeile ,Erotik bei Otto' entgegen. Ja wie? Wieso Otto? Ottilie hätte ich zuordnen können. Aber Otto? Otto, die Lesbe? Also Otto!? Mit einem Klick auf ,Ottos Erotik' war die Lösung schon gefunden. Ungeheuerlich! Nicht zu fassen! Der Ottoversand mischt auch mit! Herrschaftszeiten! Jetzt aber los! Und ein Klick auf ,Ottos Erotik` zirpte mich unvermittelt in Ottos Gummischwanzabteilung, dicht gefolgt von Ottos Kondom Variationen ... Heiland, steh` mir bei ...
Doch was machen Lesben mit Kondomen? Vielleicht pflegen ja einige von ihnen heterogene Präferenzen, sinniere ich ...

Mit jedem weiteren Klick wird mir die Szene fremder. Ich verlasse die lehrreichen Otto-Seiten. Weitere Einträge erscheinen mir im Zusammenhang logischer als dieser Komplex im Kontext eines familiengeprägten Kaufhauses wie Otto. Nun gut. Denn was nun kommt stammt von einschlägigen Anbietern oder Communities.

Jetzt führt mich meine stochastisch angelegte Entdeckungsreise zu einer Vielzahl sogenannter ,Movie`-Angebote. Eijeijei, ich will nicht glauben was ich da sehen muss. Wildest wird da – wie soll ich sagen – masturbiert, geleckt, gekitzelt

und - ohje - gepinkelt. Die Aufnahmen sind
gestochen scharf, auf HD wird besonders
hingewiesen, die Akteurinnen sind professionell
ins Bild gesetzt, viele in Nahaufnahme oder wie
das auf netzsprech heißt – ‚gezoomt'.
Überhaupt stelle ich fest, dass man ohne
Englisch auf diesen Seiten kaum weiterkommt.

Mein erster Gedanke; warum wird dieses Zeug
nicht aus dem Netz herausgefiltert? Ich blicke
auf die Uhr und staune. Fast eine Stunde schon
habe ich mich auf diesen Seiten aufgehalten,
eher getummelt, pardon – gesurft. Hab' ich da
womöglich Nachholbedarf?

Ich holte mir was zu trinken, biss in einen Apfel
und genehmige mir noch eine Stunde. Dann
hast du dir diese dunkle Seite des Lebens erst
mal grob erschlossen. Während der ganzen
Scrollerei waren mir Begriffe aufgefallen, die
sich ständig wiederholten: ‚Galleries', free
download, free pics, etc. Die nehme ich mir
jetzt vor, beschließe ich, sind sie doch ‚free',
frei vom Bezahlen erfahre ich so nach und nach
…

Und bums! Ja sag doch mal einer! Wo lebet
mire denn da? Immer, wenn ich mich aufrege,
verfalle ich wieder in meinen heimatlichen
Dialekt. Ich glaub es ja nicht! Was ich nun sehe
lässt mich ganze Kaskaden entrüsteter
Verständnislosigkeit vor mich hin plappern.

Denn ein einziger Klick auf eine der ‚Lesben
Galleries' Pages bietet eine Menge kleiner
Bildchen, die, jeweils mit einem einschlägigen
Stichwort versehen, wohl als Hinweis auf
bestimmte Sex Vorlieben gedacht sind. Ich
112

sehe zwei Frauen, verkehrtherum aufeinander - liegend. Dann wieder eine, von hinten her abgelichtet, sich tief nach vorne beugend. Andere sind im Schambereich über und über behaart. Beinahe hätte ich an mir heruntergeschaut, also sowas! Wieder andere sind dermaßen gründlich rasiert, dass man glaubt, ein gerupftes Brathähnchen zu beäugen. Dann waren da die mit dicken und jene mit kleinen Brüsten. Und immer wieder mal sind solche dazwischen, die sich bepinkelten oder sich wer weiß was in die Vagina steckten. Kopfschütteln reicht hier nicht mehr als Ausdruck blanken Entsetzens! Und das Ganze locker und leicht und frei im Netz zugänglich. Oh, was für eine Welt ...

Ich halte inne. Meine eigentliche Aufgabe kommt mir wieder in den Sinn. Die aber liegt jetzt begraben unter dem Schutt grassester Sex Phantasien und grellem Bildersturm. Beklommen frage ich mich, wie das alles zusammenpasst. Vor allem, was mag sich mein lieber Gott bei alle dem gedacht haben? Als gläubiger Mensch unterstelle ich, er möge sich hoffentlich etwas dabei gedacht haben – mich meinen vermaledeiten Tippfehler gemacht haben zu lassen. Noch eine halbe Stunde. Dann spätestens hatte ich mich wieder in den normalen Tagesablauf zu begeben.

Immer noch habe ich die Seiten mit den speziellen Angeboten zu angeblich lesbischer Liebespraxis aufgerufen. Beim längeren Surfen bekomme ich allmählich mit, dass das Ganze doch stark kommerzialisiert ist, auch wenn da was gefaselt wird von Amateur oder free sides. Viel zu professionell sind diese angeblichen

Amateurseiten aufgemacht. Mit einem liebevoll naiv scheinbar selbstgestrickten Internet-Auftritt wird die vermeintliche Idylle etwa eines Wandervereins vorgetäuscht. Vertrautheit soll da wohl hergestellt, ja Vertrautheit kaschiert Versautheit! Na dann ...

Da ich keinerlei persönliche Präferenz bezüglich einer dieser Seiten habe, klicke ich einfach mal auf das Bild mit der Frau mit den dicken Brüsten. Und tatsächlich. Das nächstaufgehende ‚Window' präsentiert ausschließlich Frauen, die mit enorm großer Oberweite gesegnet sind. Wieso eigentlich 'gesegnet'? Selbst auf diesen Seiten scheint mir der liebe Gott noch sprachlich die Hand zu führen.

Und, nicht ahnend, was mich nun erwartet, klickte ich auf eines dieser Bilder. Zack, taucht die eben Angeklickte erneut auf. Diesmal aber in einer Art Fotoserie mit etwa 15 Bildern. Es ist immer dieselbe junge Frau, abgelichtet jedoch in unterschiedlichen Posen, treffender wäre, von Verrenkungen zu sprechen. Zunächst noch immerhin leicht bekleidet, verliert sie von Bild zu Bild eines ihrer ohnehin schon wenigen Kleidungsstücke. Beim zweiten Foto fehlt schon der Büstenhalter, es folgen die Nylonstrümpfe, der Hüfthalter und zuletzt der String, vormals Tanga, vormals Slip, vormals Schlüpfer, vormals Unterhose, um schließlich - breitbeinig hockend und ihre Schenkel weit spreizend, dem Betrachter ihr intimstes - im wahrsten Sinne des Wortes zu ‚offenbaren'. Und auch hier flutscht mir doch wieder dieser religiöse Bezug zur 'Offenbarung' durch den Kopf, bewusst, unbewusst, unterbewusst?
114

Die fast fünf Millionen Einzelhinweise allein unter dem Minderheiten-Link Lesben signalisieren einen Riesenmarkt. Aber was erst, wenn es um jene Angebote geht, die sich an einen von mir vermuteten Mehrheitsmarkt für Männer richten?

Ich fahre fort und klicke eines dieser Bildchen im Format 2 x 2cm an - und - hopsasa! Das eben noch kleine Bildchen verwandelte sich in eine fast bildschirmgroße Vergrößerung. Das Foto, gewohnt scharf, oh bitter böser Doppelsinn, lässt jetzt die mattbläulichen Adern in den wirklich gewaltigen Brüsten erkennen, die natürlicherweise nur die erhabene Aufgabe hatten, Milch für unsere Kleinsten zu produzieren. Auch die viel zu dick, aber sorgfältig aufgetragene Schminke platzt nun unmittelbar ins Bild, ebenso wie die nicht gründlich genug wegretuschierten Fältchen. Da lassen sich so manche Studien treiben. Augenblicklich aber verbat ich mir weiteres Denken! Nein! Ich halte Distanz zu diesem Abgrund!

Zum ersten Mal habe ich das Gefühl für's Erste genug zu haben. Und – aber das sei einmal dahingestellt - fühle ich mich schon irgendwie abgeklärter als noch vor zwei Stunden. Ist das die erste Stufe eines Abstumpfungsprozesses? Das mag sich auch ausdrücken in einem Gefühl unaufgeregter Beliebigkeit gegenüber dem eben Gesehenen. Ich kenne das vom Autofahren her. Lenke ich nach links, fährt das Auto nach links, bremse ich, bremst es, hupe ich, tutet es. Und genauso artig tanzen die Bildchen nach meinen Eingabebefehlen, es entsteht so etwas wie Routine, bisher jedenfalls. Um mein Meinungsbild abzurunden entschließe mich dazu, noch einige Minuten auf diesen Seiten zu bleiben.

Jetzt klicke ich einmal auf das Bildchen mit der Bildunterschrift ‚rasiert', hihihi, Damen ohne Bart', witzele ich. Doch statt der offerierten rasierten Lesben bietet sich meinen Blicken nun etwas völlig anderes, jedenfalls keine rasierten Ladies. Stattdessen tut sich ein Sammelsurium unterschiedlichster Beischlafspraktiken auf. Wie das? Definitiv hatte ich auf ‚rasiert geklickt. Doch dann – reichhaltiges Bildmaterial zu männlichem und weiblichem Oralverkehr, schließlich einmündend zu Anal- und Vaginalpenetrationen. Sperma spritzende Muskelmänner erleichtern sich da auf Leiber und in Münder und sonst wohin scheinbar williger Frauen, angereichert von einem ausführlichen Spektrum von vorgeblichen Hundeliebhaberinnen, die in unzweideutiger Absicht am Tier herum werkeln, oder sollte ich besser sagen, ferkeln? Doch das, was das Bildchen mit der Unterzeile ‚rasiert' offerieren sollte, das war hier nirgends zu sehen.

Eben noch glaubte ich, mich kann auf diesen Seiten nichts mehr überraschen. Doch was sehe ich da? Und gegen meinen Willen? Und mitten in meinem Arbeitszimmer? Tatsächlich einen Schäferhund. Einen Rüden mit verdrehten Augen, eindeutig bearbeitet von einer bestrapsten Miederfrau! Sodom und Gomorra!! Schon seit Jahrtausenden hat die Bibel recht, Schäferhund hin oder her.

Was geht hier vor? ‚Rasiert' gebe ich ein und Sodomie kommt raus. Das muss doch Methode haben! Die Anbieter dieser Seiten arbeiten wohl mit einer Art Zufallsgenerator. Offensichtlich soll der Betrachter mit immer spektakuläreren Bildern immer tiefer in den Pornosumpf hineingezogen werden. Und zwar systematisch, um ihn anzufixen, ihn letztlich süchtig zu machen. Von ‚Download free' zum ‚Download cash'. Und ob ich das wahrhaben will oder nicht. Auch in mir wuchs die Spannung darauf, was wohl bei meinen nächsten Klicks passieren würde ...

Und prompt traf mich der nächste Schlag! Das geht aber jetzt zu weit!! Gerade noch hadere ich mit dem Schäfer-Hund-Stündchen, von dessen Ekligkeit ich mich noch nicht erholt habe, blickte ich nun unvermittelt in die Gesichtchen zahlreicher kleiner Mädchen!!! Was machen die hier auf ausgewiesenen Pornoseiten? Das kann nichts Gutes bedeuten. Ich scrolle und scrolle und diese Seite hat praktisch kein Ende. Alles voller Gesichter wirklich kleiner Mädchen, gefühlt maximal zehn Jahre alt. Ich weiß nicht, wo mir der Kopf steht und wo ich zuerst hinsehen soll! Ich scrolle rauf, ich scrolle runter. Überall kleine Mädchen! Eben noch singe ich das Lied von der langsamen Gewöhnung, schleichender Abgeklärtheit. Doch was ich jetzt zu sehen bekomme kann keinesfalls vom Gesetzgeber gedeckt sein!

Zur Untermauerung und Beweissicherung – so mein Plan - mache ich mich daran, dass bisher nur eher flüchtig Wahrgenommene nun systematischer zu betrachten. Und tatsächlich!

Gleich das zuerst, aber nun genauer betrachtete, Kindergesicht entpuppt sich, leicht erkennbar, als Manipulation. Denn ich klickte das vermeintliche Kinderbildchen an - und die dann folgenden, etwa zehn Fotos, zeigten ein zwar noch sehr junges Mädchen. Es mag vielleicht sechzehn - oder bei genauem Hinsehen auch älter sein. Keinesfalls aber wird mein erster Eindruck bestätigt, dass es sich um ein kleines Kind handeln. Als Frau kennt man ziemlich genau die Unterschiede zwischen einer Acht- und einer Achtzehnjährigen. Die in ihren Mund drapierte Zahnspange kann mich jedenfalls nicht über das Alter der Abgebildeten täuschen. Offenbar werden die den jungen Frauen zwecks einer weiteren optischen Verjüngung verpasst. Bleibt zwar auch ekelhaft, aber über achtzehn sind die Damen auf jeden Fall. Auch ist bei intensiverer Betrachtung zu erkennen, dass die Zöpfe des Mädchens künstlich angeheftet waren. Auch im normalen Leben sind die sogenannten Extensions längst angekommen. Zwar halte ich auch das für schäbig. Aber erst mal bin ich erleichtert, keine acht- sondern eher eine auf jung getrimmte Achtzehnjährige vor mir zu haben. Auch zwei weitere Fotos, die ich zur Kontrolle anschaute, bestätigen meine Einschätzung einer Manipulation.

Erleichtert scrollte ich noch einmal die ganze Seite nach unten. Ganz unten, am Ende dieser meterlangen Seite, sind zwar keine Fotos mehr, dafür aber zahlreiche Verweise auf weiterführende Seiten, mit zu meinem erneuten Entsetzen 'richtungsweisenden' Bezeichnungen auf Kinderseiten. Diese heißen dann Virgins, Young leafs, Lolitas, Rosa Seiten,

118

Lila Seiten, Kids, Kiddies, etc. Spätestens hier wähne ich mich bereits tief im Sumpf menschlicher (männlicher?!) Abgründe.

Und um dieses ganze traurige Kapitel endlich abzuschließen - weder ging es noch um lesbisches – und schon gar nicht mehr ums Leben in glaubensbasierter Ableitung, klickte ich ein letztes Mal auf einen Kinderpornographie suggerierenden Link mit der Bezeichnung 'Lolita'. Der Name Lolita ist mir als jene Schnitt- und Kippstelle in Erinnerung, an der sich wahrscheinlich noch in Jahrhunderten Richter und Staatsanwälte die Haare ausreißen werden.

Als erwachsene Frau ist man beim Thema Kinderpornographie aus dem Schneider. Frauen sind, bis auf wirkliche Einzelfälle, völlig unverdächtig. Mich der Pädophilie zu bezichtigen hieße eine Gans eine Kuh nennen. Natürlich blieb auch mir nie verborgen, dass man bei einem fast x-beliebigen Stadtbummel eindeutig minderjährige Mädchen durch die Gegend spazieren sieht, bei deren Anblick auch ich mir schon so meine Gedanken gemacht habe. Was wollen die mit ihrer nuttigen Aufmachung eigentlich bezwecken? Oder sind die wirklich so naiv und ahnen nicht, was sie bei manchen Männern auslösen können?

Da hilft auch der Hinweis auf das Grundgesetz wenig, das die körperliche Unversehrtheit auch dieser Geschöpfe schützen will. Mein Mann hat zu seinem Selbstschutz für dieses lolitäre Phänomen eine sehr pragmatische Formel. ‚Auch wenn diese Hühner vielleicht nicht ahnen', sagt er dann, 'welche Reaktionen sie bei manchen Männern auslösen können - als Mann hat man diese Situation zu erkennen und kann sich keinesfalls damit herausreden, man habe gedacht, die sei doch schon vierzig' ...

Also Lolita. Und klicks - und wiederum schauen mich viele vermeintliche Lolitas an. Eine habe ich sofort wiedererkannt, hatte sie bereits bei meinem ersten Schock inspiziert und als eher Achtzehnjährige enttarnt. Ich scrolle wieder zur Stichwortleiste, die mit weiteren Suchwörtern wie Young Young, super young, illegal, underage, ' etc. aufwartete.

Illegal und underage! Das ist aber eindeutig! Illegal ist nach meiner Laienkenntnis ein auch juristisch verwertbarer Begriff. Und underage? Unterhalb welchen Alters? Na, unterhalb des juristisch erlaubten natürlich. Was sonst könnte gemeint sein.

Illegal und underage. Ich entschließe mich für einige letzte Klicks und entscheide mich für 'illegal' und meine aufgerissenen Augen stieren auf schier Undarstellbares! Diesmal sind die Abgebildeten – Jungen wie Mädchen - wirklich höchstens acht oder neun Jahre alt – eher jünger! Jetzt werden auch keine Bildchen mehr angeboten, sondern sogenannte Videoclips. Und die soll man sich nicht nur im Netz anschauen, sondern, wie es da heißt, 'free, also kostenlos, downloaden.

Spätestens an dieser Stelle sind alle Grenzen eines noch irgendwie Erlaubten überschritten! Hier bleibt keinerlei Spielraum mehr für Ausflüchte oder Erklärungen, welcher Art auch immer! Das muss ich anzeigen! Hier schreite
120

ich ein. Jetzt, gleich, unverzüglich! Ich mache mich ja selber strafbar, wenn ich nicht handele. Der Polizei werde ich das ohne Umschweife melden, versehen allerdings mit bitterbösen Kommentaren und der Frage, wie das auf meinen Bildschirm kommt!! Ich bin in heller Aufregung. In welcher Welt leben wir eigentlich? Dass es sowas gibt, weiß ich natürlich auch. Zeitweise ist die Presse über Wochen gefüllt mit immer wiederkehrenden einschlägigen Meldungen. Aber dass man mit ein paar Mausklicks in das authentische Zentrum von Sexualverbrechern vorstoßen kann, kinderleicht sozusagen, ohne weiteres, ohne irgendwelche - gar großen – Umstände oder Hindernisse?! Das übersteigt meine Vorstellungskraft bei Weitem.

Hier hilft nur noch der Staatsanwalt entfuhr es mir. Was ist jetzt zu tun? Diese Seite ist eindeutig kinderpornographisch! Und damit schwerstkriminell! Ich habe die auch noch angeklickt. Ich, die Frau aus dem Kirchenvorstand! Auf der Suche nach Leben! Aber doch nicht nach diesem! Unmöglich kann ich jetzt noch weiter recherchieren. Auf jeden Fall muss ich das meinem Mann zeigen. Als meinem Zeugen! Das muss festgehalten werden. Hier sind Beweise zu sichern! Und dann aber ab zur Polizei! Die hat das schleunigst zu unterbinden. Auf diese Seiten kommt doch jeder! Sogar auch dann, wenn man die gar nicht sucht! Oh, Tempora …

Doch wie sichert man Beweismittel, im Internet? Hab' ich noch nie gemacht. Warum auch sollte ich auf diese Idee kommen? Ich probiere und klicke das erstbeste Download

Angebot an, ziehe es mit der Maus auf die Festplatte und staune, wie einfach das geht …

Es ist ein besonders abscheulicher 20 Sekunden Clip. Unmöglich, dass sich der Mann, der sich nur von seiner Rückseite ablichten ließ, jemals wird herausreden könnten, wenn, ja wenn man ihn denn schnappte. Er vollzog mit einer höchstens Fünfjährigen vaginalen Geschlechtsverkehr. Mein Blutdruck steigt, mein Kreislauf sinkt, komplettes Durcheinander in meinem Kopf.

Ich schaltete den Computer aus. Mir zittern die Knie. Das werde ich in die ganze Welt hinausposaunen, was ich da eben erleben musste! Hier muss Öffentlichkeit hergestellt werden! Das Internet, der größte öffentlich zugängliche Pornoladen der Welt. Easy going, Porn to Go!

Es klingelt. Abgekämpft und mit einer leichten Blessur am Ellbogen trabt Herr Filius zur Tür herein. Wiedermal Fußball. Verloren. Verletzt. Mürrisch. Den hatte ich ja ganz vergessen! Der Arme. Seine Wortkargheit ist mir zwar nicht recht. Heute aber passt mir das sehr gut. Er trabte erst mal in sein Zimmer. Hunger wie sonst üblich hatte er offensichtlich nicht. Ist ihm bestimmt wieder eine Pizzaschnitte dazwischengeraten. Für heute kommt mir das sehr entgegen ….

Mein Mann muss auch bald kommen. Habe doch viel Zeit mit diesem Unaussprech vertrödelt. Immerhin hab' ich einen Kriminalfall aufgedeckt, tröste ich mich, leicht scheinheilig. Dem wir 's genauso die Sprache verschlagen

122

wie mir. Ekelhaft. Jetzt ist nur noch das weitere Vorgehen zu klären. Direkt zur Polizei gehen oder einen Kinderhilfering anrufen - am besten beides.

Zu meiner Zerstreuung blättere ich eine Weile in verschiedenen Werbeblättchen. Die Autotür schlägt ins Schloss. Er kommt. Nach dem Begrüßungskuss platze ich sofort los. Du glaubst ja nicht, was mir heute passiert ist ...

Er hörte sich das Unglaubliche an. Zunächst eher belustigt - wegen des Tippfehlers. Dann aber blies er die Backen auf. Genau an der Stelle mit der angeblich dickbusigen, lesbischen Frau. Und im weiteren Verlauf meiner Schilderung vollzieht er mimisch die Hochs und Tiefs nach, die auch ich bei meinen Recherchen durchlebte.

Doch mit einem Mal verfinsterte sich seine Mine. Genau an einer Stelle, an der ich das am wenigsten vermutet hatte, geriet er völlig außer sich.

Was hast du gemacht, blaffte er. Du hast so eine Datei heruntergeladen? Als ,Beweismittel'? Ja, hast du den Verstand verloren? Ist dir eigentlich klar was jetzt passiert? Sag, dass das nicht wahr ist! Wie? 'Als Beweismittel'? Bestenfalls gegen dich - aber was noch hundertmal schlimmer ist, gegen unseren Filius und als Krönung gegen mich!! Mach dich schon mal damit vertraut, dass ihr mich demnächst im Knast besuchen könnt! Und wenn ich da jemals wieder rauskommen sollte, dürft ihr mich zum Arbeitsamt begleiten!

Was hast du denn versuche ich dagegenzuhalten.

Was ich habe? Ist dir nicht klar, dass die Pädophilenfahndung alle Klicks automatisch mit- und nachverfolgt, auf allen PCs dieser Welt?

‚Na und?' warf ich ein.

Was ‚Na und?' Den Fahndern ist deine rührselige Geschichte vom Tippfehler herzlich egal. Auch wenn das tausendmal stimmt!! Du hast einen der schlimmsten Abartigkeiten heruntergeladen. Und diese Art klebt allemal und zu allererst an Fingern von Männern!

Jetzt reg dich aber mal ab! schnaube nun auch ich los. Wegen des Buchstabens ‚s' kommt man doch nicht in den Knast! Du bist ja hysterisch! Ich decke hier eine Riesenschweinerei auf und ernte zum Dank deine Attacken! Anstatt solidarisch zu sein, aufgebracht und betrübt über die ganze Situation, kommst du mit deinem Computerfahndungsgesetz, und machst dir die Hosen voll! Dieser Skandal gehört aufgeklärt und zwar ohne Rücksicht auf handelnde Personen. Du hast doch die Fünfjährige nicht vergewaltigt, Herr Gott nochmal!

Ich glaube, meine Liebe, du willst mich nicht verstehen. Darum geht es doch nicht! Es geht darum, dass ich mir das Zeug heruntergeladen haben könnte - oder der Junge! Liest du denn keine Zeitung? Bereits das Herunterladen dieses Krams gilt als Besitz, ist deshalb genauso strafbar wie das Verbrechen selbst!!
124

Schlimmer noch. Selbst wenn alles so stimmt, wie du das erzählst, und daran besteht - ich wiederhole mich - für mich nicht der geringste Zweifel, so sind uns juristisch die Möglichkeiten verwehrt, den Fall zu melden! Das stand jedenfalls kürzlich genau so in der Zeitung. Danach macht sich auch derjenige nicht nur verdächtig, sondern auch strafbar, der verbotenen Abartigkeiten, die er im Internet findet, meldet. Du kannst das nicht einfach melden! Und schon gar nicht der Polizei!

Und ebenso schlimm ist es, wenn du in deinem Kaffeekränzchen darüber quatschst! Deine Weiber entrüsten sich zwar künstlich über deine Schilderungen, denken aber – günstigsten Falls - die ist aber mit einem Finsterling verheiratet!

Und mit Sicherheit kriegt der Pfarrer als erster Wind von der Sache! Und der wird am Ende auch noch reingezogen! So viele Ave-Marias kriegt der doch gar nicht gebetet, so schnell, wie er – peinlich, peinlich - als Zeuge einvernommen wird. Verhört zu dir, verhört zu mir, verhört zum Sohnemann und deinen verwechselten Lesben! Ade du schöne Welt!

Wir können jetzt nur hoffen, dass dein ganzer Recherchezirkus nicht auffliegt. Und wenn er auffliegt, hoffentlich nur als einmaliger Ausrutscher eingestuft wird, halt so, wie's dir tatsächlich passiert ist. Natürlich ist das alles auch für mich eine Riesenschweinerei - mal so viel zu meiner Solidarität! Aber die Gesetze sind nun mal so, dass sich jeder verdächtig macht, der auch nur andeutungsweise zu

erkennen gibt, mit dieser Szene zu tun haben
zu können!

Oh verflucht! Ich seh' dich schon vor die Presse
gezerrt: „Kinderpornographie! Weiblicher
Kirchenvorstand verschleiert
kinderpornographische Machenschaften ihres
Mannes oder Sohnes! Frau X will angeblich nur
versehentlich auf diese Selten geraten scin. Wo
doch jeder weiß, welches Know-how
erforderlich ist und wie schwer das ist, in diese
schwarzen Kanäle vorzudringen".

‚Hahaha, böser, böser Tippfehlerteufel - du!
Mach das ja nicht noch mal! Sonst tipp ich dir
eine! Lächerlich! Geradezu niedlich. Mit der
Geschichte kannst du nicht mal im Beichtstuhl
aufwarten. Oje, oje und ach! Was bist du naiv!!

Jetzt hilft doch tatsächlich nur noch beten!
Und deinem Kirchenartikel kannst du eine neue
Überschrift verpassen:

Leben - mit dem Staatsanwalt!

Phantom
Amtsgericht, Gebäude F,
glaubst ja nicht, wen ich da treff'!

Nein – nicht den!
Der war am geh 'n.

Auch nicht die!
Das rätst du nie!

Nein, er hatte nichts geklaut.
Ja, nur etwas Mist gebaut.

Nein, sein Hund war nicht der Grund.
Ja, er war alleine schuld.

Nein, er trug zivile Kleidung.
Ja, so stand 's auch in der Zeitung.

Nein, er schien nicht ausgeruht.
Ja, es tropfte etwas Blut.

Nein, zum Glück nicht auf die Dielen.
Ja, die Hände - voller Schwielen.

Nein, dies war kein Hauptindiz.
Ja, der Richter mein, die Miez.

Nein, der mimte gut den Clown.
Ja, das hat ihn rausgehau'n.

Nein, nichts Ernsthaftes verbrochen.
Ja, er wurde freigesprochen.

Dumm! Dass das hier keiner rät.
Blöd! Jetzt ist es eh zu spät.

Reglement

Genau darauf kommt's an beim Weitsprung -
auf die tatsächlich gesprungene Weite!
Und worauf noch?
?
Genau! Auf die Anlaufgeschwindigkeit!
Sehr witzig …
Und worauf noch?
Ja sag 's halt …
Auf die Absprungtechnik!
Gähn …
Und worauf noch?
Das blöde Brett richtig treffen …
Ist nicht blöd …
Super-sau-dummblöd ist das! Eine Frechheit
der Funktionäre! Reinste Schikane von diesen
Loosern! Selber den Arsch nicht hochkriegen,
dick abkassieren und Sportler schikanieren!
?
Is was? Wer 's nicht ‚richtig' trifft ist vergebens
gerannt und gehüpft. Was soll 'n das?
Reglement …
Narr! Jeder Sprung ist gültig! Das Brett muss
halt nur so breit sein, dass es bei jedem
Sprung immer richtig getroffen wird! Warum
also das schmale Brett?
Reglement …
Idiot! Ich lauf an, springe ab und lande.
Absprung- und Landepunkt kann man heute
millimetergenau messen! Warum also das
verfluchte schmale Brett?
Reglement …
Weißt du was?
Was?
Du bist ein Dünnbrettvollheini!
?
Reglement …

Arme Hund
Habe gehofft und habe gebangt.
Ist doch vor kurzem mein Dackel erkrankt.

Wäre es nur die Gemahlin gewesen.
Lehnte längst lässig entspannt schräg am
Tresen.

Doch leider traf es den geliebten Wauwau.
Trübsinn, Tristesse, wohin ich auch schau.

Lore

Er wüsste nicht, warum er so traurig sei. Direkt zugestoßen sei ihm zwar nichts. Aber neulich habe er ein Märchen gelesen, das ihm seitdem nicht mehr aus dem Sinn ginge. Mein alter Schulfreund ist ein gaaanz ganz Lieber. Manchmal aber – und dummerweise unvermittelt – kommen ihm die seltsamsten Geschichten in den Sinn. Wie soll ich sagen, er erfindet immer wieder alte Märchen – sagen wir, neu ...

Und weil ich das schon kannte, versuchte ich ihn zu beruhigen. „Wenn 's doch nur ein Märchen ist. Das kann doch nicht so traurig machen. In alten Weisen werden doch nur Geschichten erzählt, die nicht wirklich passiert sind, oder sie werden eigentümlich verdreht wiedergegeben. Märchen halt."

„Das weiß man nie!" jammerte er unbeirrt weiter und ließ sich nicht von seinem Gezeter abbringen. „Die Frau, die mir das Buch gegeben hat, wollte mich auch schon trösten. Die Geschichte wäre nicht nur aus alten, sondern sogar aus uralten Zeiten. Aber sowas dermaßen ekelhaftes! Egal, wann's passiert sein soll. Märchen hin, uralt her. Selbst wenn keine einzige Zeile davon stimmt. Wie kann man sich das nur ausdenken? Dabei fing alles harmlos an. Sonst hätte ich doch nie weitergelesen!"

„Warum hast du nicht einfach aufgehört, als klar wurde, dass das nichts für dich ist?" Doch ungerührt setzte er seine Schreckensbotschaften fort, steigerte sich in äußerst Sonderbares hinein ...

130

„Da sitzt also eine junge Frau", lamentierte er weiter, „eine Jungfrau soll sie obendrein gewesen sein, und Lore ruft man sie, in der Abendsonne und kämmt sich ihr Haar, oder – wie's sogar heißt, ‚ihr güldenes Haar'".

„Ja und? Was ist daran schrecklich?" fragte ich, Interesse vortäuschend. „Wart 's nur ab. Wirst dich gleich wundern! Die saß da ja nicht nur irgendwo so da. Die saß auch nicht einfach nur so da rum. Die saß am Rhein! ‚Ach! Mach' Sachen', entfuhr es mir, und unterdrückte ein Kichern. „Die saß aber nicht nur so da, und auch nicht nur am Ufer. Die saß auf einem riesigen Felsen soll die gesessen haben. Über hundert Meter hoch, auch noch an der gefährlichsten Stelle für die Schiffer! Ganz vorne am Rand hätte die gesessen, steht jedenfalls da!" Mein Kumpel drohte von seiner eigenen Ergriffenheit fortgerissen zu werden.

„Über hundert Meter!" stieß ich hervor, mein Haupt schicksalsschwanger wiegend, ständig damit beschäftigt, Heiterkeit zu unterdrücken. „Du willst doch jetzt nicht sagen, dass die dort runtergefallen ist? Das wäre dann aber eine wirklich schauderhafte Geschichte, selbst wenn's nur ein Märchen ist, ein gruseliges noch dazu. Andererseits ist's aber auch unerhörter Leichtsinn, sich da oben an den Rand hin zu setzen."

„Nein, nein" erregte er sich. „Es war genau umgekehrt".

Wie? Was war ‚umgekehrt? Ich verstand nicht. Statt runterfallen rauffallen? Oder hochgesprungen? Vielleicht war die Kleine 'ne Fee und ist da hochgeflogen.

„Das Schlimmste aber ist, dass sie einem Kapitän übel mitgespielt hat, der gerade da vorbei geschippert kam. Es war schon spät nachmittags. Und die saß da oben in der tiefstehenden Sonne. Der Kapitän war schon den ganzen Tag unterwegs und müde von der ewigen Ruderei, als er da vorbeikam. Und während er in einer ruhigen Minute mal ein bisschen in die Gegend blinzelte, sieht er die plötzlich da oben sitzen. Er dachte noch, wie gefährlich das ist, sich da oben hinzusetzen, als sie immer noch näher an den Felsrand heranrückte. Und plötzlich fing sie auch noch an laut zu singen. Das Schauspiel lenkte den armen Deibel nun dermaßen ab, dass er nur noch dort raufblicken konnte. Wie hypnotisiert hat der nur noch nach da oben geschaut."

Die Geschichte erschien mir immer lächerlicher und ich versuchte, die etwas peinliche Situation ein wenig aufzuscherzen. „Vielleicht hat sie auch auf dem Kamm geblasen" unterbrach ich ihn.

„Du nimmst mich nicht ernst! Kenn' ich ja von Dir. Aber es kommt schlimmer – noch viel schlimmer. Von wegen Jungfrau! Dieses Ferkel! Hockt sich da oben an den Rand, grölt rum, ich denk noch, die wird doch wohl nicht, und eh ich mich versah pinkelt die da runter, vor allen Leuten, in den Rhein, singt und klimpert dabei auf ihrer Leier, eine schöne Jungfrau das! So ein Ferkel! Kannst Du Dir vorstellen, was da los war? Der Kapitän war völlig erigiert, äh, irritiert war der. Sein Blick klebte nur noch an ihrem

132

‚güldenen' Strahl. Von wegen güldenem Haar! Wahrscheinlich hat der arme Steuermann auch noch befürchtet, dass die jetzt auch noch ihr Big Business von da oben runter macht, Wutz die! Wie die sich aufführt, ekelhaft. Und dann fiel dem armen Kerl plötzlich wieder sein Dampfer ein - zu spät. Zwar grapschte der noch nach dem Ruder, riss es wild in alle Richtungen. Vergebens. Der Kahn machte längst was er wollte, bohrte sich schließlich in die Uferböschung und – steckte fest!"

„Die Geschichte kenn' ich aber völlig anders," warf ich irritiert ein, eher gemurmelt und keine Antwort erwartend. Außerdem verstand ich immer noch nicht richtig. „Ja, aber - was hat die Geschichte denn mit Dir zu tun? Wieso regt die dich denn so auf?" Sein Blick verdüsterte sich.

„Wenn an dem was dran ist, was mir gerade durch den Kopf geht ... Gnade mir ... Vor fast zehn Jahren ist mir mal tatsächlich was sehr Seltsames passiert". Ich kannte die Geschichte schon, in immer neuen Varianten hatte er sie ausgeschmückt. „Ich war damals mit meiner Frau auf dem Hermanns-Denkmal. Und plötzlich wollte die vom Sockel runterpinkeln, so wie die im Märchen. ‚Freiheit und Weite' rief sie dabei. Umherstehende glotzten sich blind bei der Aktion. „Wenigstens ein einziges Mal in meinem Langweilerleben will ich vollkommene Freiheit und Weite spüren" krisch die und brachte mich in eine unmögliche Lage! Meine Frau! Dieses Wutzl!

Und noch während ich sie entgeistert anstarrte, stand da bereits eine andere. Die hatte ihren

Rock ebenfalls schon hochgezogen und den String am Knie. Gleiche Absicht! Haben die sich etwa geflashmopst frag ich mich. Doch bevor die lospinkeln konnte wurde sie von ihrem Lover gerade noch zurückgezerrt. Waren eigentlich ganz nette Leute, hatten aber komische Namen. Siegfried und Brunhilde nannten die sich ...?"

Und mit gepresster Stimme raune er verschwörerisch: „Ich sag Dir nur eins - der arme Kapitän. Wenn das stimmt, an was mich dieses ‚Märchen' erinnert ...

Wenn meine Alte heut heimkommt kriegt die erst mal dermaßen eins hintendrauf, dass sie den Tag verflucht, an dem ihre Eltern sie Lore getauft haben."

Herr Lay blieb zeitleben ein merkwürdiger Kauz ...

Niegelungenlied
Die Bühne, Hort der Reflexion.
Schon zucken Schwerter durch die Lüfte.
Ich glaub', dies Stück, ich kenn' es schon.
Zum Schluss füllt's Ritter in die Grüfte.

Und so auch hier,
im Ritter Epos alter Zeiten,
ist nah bei Worms,
der Frieden am Entgleiten.

Mit seinem Schwert
- Brunhilde stand dabei -
schlug Hagen Siegfried
- mittendurch - entzwei.

Das hatte Folgen.
Herr Siegfried fiel zunächst vom Pferd
und dann aus allen Wolken.

Nie wäre Hagen - unsrer Zeit -
ein derart Streich gelungen.
Drum kämpfte er - der Wahrheit nah -
zur Zeit der Nibelungen …

Baseler Platz

Aus Richtung Hauptbahnhof kommend fahren wir in Richtung Baseler Platz. Eben war ich noch überzeugt davon zum Flughafen fahren zu wollen. Doch ich tat es nicht. Spontan entschloss ich mich, erst eine Runde um den Platz zu drehen. Unerklärlich, doch verspüre ich eine Erleichterung, die Entscheidung für die Weiterfahrt zum Flughafen verschoben zu haben.

Meine eben noch klare Absicht, jemanden von dort abzuholen verblasst unter dieser neuen Entwicklung. Als ich fast wieder die Stelle erreiche, an der ich scheinbar spontan meinen Umkurvungsentschluss gefasst hatte, verlangsame ich das Tempo, ja zögere, fahre aber – auch für mich überraschend – auf die Friedensbrücke. Doch nach etwa einem Drittel der Fahrt, gemessen vom Brückenansatz aus, wende ich erneut und fahre wieder in Richtung Baseler Platz. Ich kann das nicht deuten und staune nicht schlecht.

Der Innenraum des Platzes hat sich in kürzester Zeit in eine ausgedehnte Baustelle verwandelt. Die Straße rings um ihn besteht jetzt nur noch aus grobem, hellsteinigem Schotter. Und anstelle seiner eben noch üppig vorhandenen Innenbegrünung klafft jetzt ein etwa 15 Meter tiefes Loch. Der gesamte Raum war kegelförmig abgetragen und verengte sich entsprechend seiner Kegelform bis an seine tiefste Stelle bis zu einer Nadelspitze. Langsam umfahre ich das riesige Loch erneut und schaue unverwandt hinein. Jetzt fällt mir auf, dass diagonal durch diesen Kegel ein schmaler Steg belassen wurde.

136

Doch bei genauerem Hinsehen war das kein komplett belassener Steg, sondern eher ein weiterer Kegel. Dessen Spitze aber ragt nun aus dem Zentrum des Lochs nach oben. Und oben auf der Kegelspitze steht ein pinkfarbener Cadillac, seine Kühlerhaube in Richtung Innenstadt weisend. Der Anblick dieser Eigentümlichkeit erinnert mich an eine Gazelle, die - auf dem höchsten Punkt eines versteinerten Termitenhügels stehend - Ausschau nach ihren Todfeinden hält.

Was den Anblick besonders grotesk erscheinen lässt ist auch hier wieder die außergewöhnliche Spitze des Hügels. Sie ist tatsächlich so spitz, dass die vier Räder des Autos keinen Halt darauf haben, in der Luft hängen, an der aufgespießten Karosse.

Die Fahrt zum Flughafen hatte ich mittlerweile komplett vergessen, als ich das deutlich anschwellende, wütend herausgepresste, Schreien eines Radfahrers wahrnahm. Er fährt fast genau diagonal gegenüber meiner augenblicklichen Position, ebenfalls um den Platz, in meiner Richtung, und ich verstehe so etwas wie ,man solle gefälligst auf ihn warten'.

Einerseits fühle ich mich nicht angesprochen. Andererseits befindet sich augenscheinlich niemand außer mir in der Nähe. Es sei denn, er könnte vielleicht Jemanden meinen, der im aufgespießten Cadillac sitzt. Eine Person kann ich da aber nicht erkennen. Und soweit ich das aus der Ferne beurteilen kann, kenne ich auch den Radfahrer nicht. Auch ist mir seine Stimme fremd. Unabhängig davon, dass sie zum Gotterbarmen schallt, sehr laut, nach Blech, vermischt mit Rachenlauten, wie abgehackt klingenden kehligen Lauten.

Jetzt einen Schrei zu vernehmen wie etwa ‚bleib gefälligst stehen‘. Und während ich mein Tempo drossele, erhöht er seine Geschwindigkeit. Jetzt erkenne ich eine rostrote Kiste auf seinem Gepäckträger. Und während ich noch schwanke zwischen Flucht und Neugier hat er mich eingeholt. Aggressiv schnaufend hält er neben mir an und reißt die Kiste vom Rad. Er knallt sie zwischen uns auf den Boden, und ich weiß nicht genau, was ich da sehe. Es kommt mir vor wie violett rotes, rohes Fleisch, vielleicht vierzig Fleischwürfel mit einer Kantenlänge von ungefähr zehn Zentimetern. Er steht ganz nah neben- ja fast an mir. Ich habe das Fenster heruntergekurbelt. Immerzu schaue ich in die Kiste. Riechen kann ich nichts. Auch bewegen sich die Brocken nicht, glücklicherweise.

Ich traue mich nicht dem Kerl ins Gesicht zu sehen.
‚Das ist doch alles nicht möglich‘, quälte sich durch meinen Kopf. Beim Blick auf die grässlichen Fleischbrocken kommt mir plötzlich ein Blech Pflaumenkuchen in den Sinn. Offenbar entlastet sich meine Psyche mittels dieser Umdeutung.
Doch schon macht sich der immer bedrohlicher wirkende Radler daran, die Kiste mit einem massiven Ruck auf den Rücksitz meines Autos zu wuchten. Doch, anstatt das Gaspedal durchzutreten, schreie ich tonlos um Hilfe.

Dichterklause

Bin in meiner Dichterklause.
Etwas fehlt am schönen Platz.
Fühl' mich fremd, nicht recht Zuhause.
Ratlos ich das Haupt mir kratz'.

Sitz am Tisch, schau in die Runde.
Stören mich vielleicht Geräusche?
Ist mein Geist mit Schnaps im Bunde?
Hoffe, dass ich mich nur täusche.

Irgendwas ist nicht wie immer,
in der Hütte, nah beim See.
Kommt es von dem Lichtgeflimmer?
Auch die Augen tun mir weh.

Seltsam anders auch Gefühle,
die mich zunehmend beschleichen.
Liegt es an des Sommers Schwüle?
Mag die Zeit doch nur verstreichen.

Nur nicht flunkern, ruhig hinschau'n,
Analyse, bleibe klar.
Irgendwann spürt man das Alter,
wird des Abbaus man gewahr.

Natürlich, natürlich natürlich

Fahrig war sie immer schon. Oft und sehr lang
diese Phasen. Getrieben von Pflichten, Neugier,
Ehrgeiz. Jacke vom Körper gestreift. Auf die
Kiste geschmissen. So kenne ich sie.
Vertrautes Gehetze. Immer Tempo. Noch
‚Hallo‘ geflötet und an die Stange. Aufwärmen.

Letzte Korrekturen sind nachzutanzen.
Aufregender Auftritt. Denn, bisher war sie nur
Ersatzballerina. Niemand spricht das nur aus.
Ist allen bekannt. Doch heute Abend -
Premiere, ihre Premiere in einer Erstaufführung
Primaballerina …

Hubdus‘ Pech, Miras Chance. So ist das.
Nervosität – skaliert neun von zehn. Egal und
los. Nur noch zwei kleine Teilprogramme. Der
Rest sitzt. Auch bei ihr, der Ersatzfrau. Nur
zwei Abfolgen sind noch zu optimieren – raus
auf die Bretter.

Homogene Belastungsverteilung beim
Aufkommen. Ferse und Spitze. Mildert
Schmerzen, verhindert Wackler, optisch
besser. Absprung und Abwurf. Zum Abwurf
fehlt noch der Partner. Kommt gleich.

Zuerst also Absprung und Landung. Musik.
Anlauf, Drehung Sprung und Landung.
Absprung eins, zwei, drei … sieben, von zehn.
Stopp bei sieben. Ich rufe Stopp. Ein Fleck
zwischen den Beinen. Entsetzen. Bei ihr.
Scham. Peinlich. Pein. Kommt vor. Selten.
Kommt aber vor. Verfluchte Menstru! Denkt
sie, die Ärmste, denk ich – vielleicht …

Menstruationsblut ist das sauberste, das
reinste Blut das der Körper kenn. Sage ich.
Nachgeplappert. Hab' mir das gemerkt. Von
der Biolehrerin. Hauptschule. Gütige Frau.
Keiner war vorbereitet darauf, was jetzt gleich
in Bio kommen wird. Glück gehabt mit ihr.
Jahrzehnte zurück. Ja, ja die Frau R. Sie war
damals schon über sechzig. Und wir - Heinis.
Fünfzehn fünfzehnjährige Heinis. Gemischte
Klasse. Hochmodern, '61, letztes Jahrhundert.

Abregen. Ersatzdress, Ersatztampon. Etwas
trinken. Aufwärmen und weiter.
Unser Geheimnis. Geheimnis ist Geheimnis
bleibt Geheimnis. Immer. Für immer. Unser.

Der Tänzer kommt.
Die Wurfsequenz wird optimiert.

Tangokrieg
Obwohl extremstens ich versteift,
hat sie mich durch den Saal geschleift.

Mein Tanzstil war nicht ausgereift!
Ich fühl' mich von ihr eingeseift …

Sie übte sich im Hüften wiegen,
bei mir gab's einfach nichts zu biegen,
vor Angst gar ließ ich einen fliegen …

Sie wogte her.
Ich wollt' nicht mehr.

Sie wogte hin.
Ich wollte flieh'n.

Sie gab nicht auf,
ich gab nicht nach.

Uns beiden drohte Ungemach.
Das Bandoneon endlich schwieg.

Dies war der Sieg,
vorm Tangokrieg.

Herr Heini

Er sprang vom Safari Land Rover hinunter, auf dem noch acht Touristen in geduckt verharrten, und baute sich vor dem Löwen auf.

So geht das aber nicht, rief er dem indignierten Tier zu.

Na, hören Sie einmal, knurrte der Löwe. Was hier nicht geht zeig ich Dir gleich mal! Hab Pause, Mittag! Depp!

Sie haben eben eine Gazelle gespeist! Frechheit! Arm das Tier! Schlund elender!

Stimmt! Sehr mini, der Hüpfer. Für Sie hab' ich auch noch Platz.

Ach! Wie blöd sind Sie den! Stiefel schmecken nach nix.

Ich fang immer oben an.

Dann mach ich einen Kopfstand, hahaha.

Oben ist immer wo der Kopf ist, Hirni, tatzel …

Oh! Ach so. Oje, ade …

Heini …

Löwenschicksal

Der Löwe blinzelt angestrengt,
ob irgendwo ein Gnu rumhängt,

das er - nach alter Väter Weisen -
beliebt, des mittags zu verspeisen.

Nach langem Suchen wird ihm klar,
was er da sah, ein Knochen war,

der - abgenagt - vom Baume hing,
weil sich ein andrer dran verging.

Ein Löwenleben ist schon hart,
sinniert der Löw, scheiß Leopard.

Nicht mit uns

Bei sogenannten Karussellgeschäften, einer wundersamen Geldvermehrung ganz besonderer Art, gehen dem Fiskus laut Bundesrechnungshof jährlich Milliarden durch die Lappen.

Geld muss in die Kasse. Dringend. Länder, Kommunen, Kreise, Städte, alle chronisch pleite. Vom Bund ganz zu schweigen. Eine Stadt, nennen wir sie Monetas, hat sofort reagiert und ihr Ordnungsamt angewiesen fünfhundert Polizisten einzustellen, das Karussellgeschäft verursachte Defizit wenigstens teilweise etwas zu vermindern. Einzige Aufgabe der Beamten bestand im Verfolgen von Hundehaltern, deren Fifi's nach ihrem Stuhlen denselben nicht wegräumen.

Und tatsächlich. Im letzten Jahr wurden genau zwei zusätzliche Tölen aufgegriffen, die nach ihrem Entleeren unaufgeputzt davonspazierten. Da sich keiner der vorbeiziehenden Passanten als Halter zu erkennen gab, wurden die Ertappten als Streuner gekechert und per Eilverfahren zu je 70 Euro verdonnert. Doch der eine stellte sich dumm, der andere blaffte, er sei's nicht gewesen.

Die zwei Monate dauernde Beweisaufnahme brachte keine neuen und schon gar nicht gerichtsverwertbare Erkenntnisse. Auf einen Vergleich ließen sich die Delinquenten nicht ein. Nach langem Hin und Her sah auch der Staatsanwalt ein, dass ein Scheißvergleich nicht nur Hunden schwer zu vermitteln war, mit oder ohne DNA.

Auch lastete die Verhandlungsdauer schwer auf dem Verfahren, verursachte horrende Kosten, die meisten Prozessbeobachter schnarchten. In etlichen Verhandlungspausen hatte man den Angeklagten je eine gleichgroße Dose Futter gereicht - obwohl die Größenunterschiede der beiden augenscheinlicher nicht sein konnten. So passierte was kommen musste. Der Große schielte neidisch auf die gleichgroße Dose des Kleinen. Die unvermeidliche Balgerei hätte beinah zum Abbruch der Sammelklage geführt. Die wurde schließlich ohne nähere Begründung zu Lasten der Gerichtskasse eingestellt.

Stattdessen wird erwogen, die Zahl der Hauptamtlichen für den nun auch erweiterten Delikttyp ‚Kryptisch Stuhlende' für das kommende Jahr um weitere 500 Beamten aufzustocken, plus 200 Taubenvergifter, um auch diesem Beschiss den Garaus zu machen. Und an die Adresse der Opposition gerichtet stellte der Magistrat schon einmal klar:

Die Betreiber der Karussellgesellschaften können ihr Geschäft ruhig weiterbetreiben, da die multible Kackfahndung dem Staat weit mehr einbringt als der Ganovenschwindel an Steuerhinterziehung absaugt.

Der Kämmerer war hochzufrieden. Dackel Bodo wird sich noch schwer wundern. Hausmeister Krause ist jedenfalls schon mal vorgewarnt …

Egopathe
Ich setze auf Sieg!
Doch nirgends ist Krieg.

Kein Mensch hat ihn vor.
Ja bin ich ein Thor?

Bin rasend von Sinnen!
Will auch mal gewinnen!
Ich werd' ihn beginnen!

Was ist schon ein Krieg?
Mir geht es um Sieg!

Heraus aus 'ner Laune
brech ich ihn vom Zaune.

Welch edler Geruch -
Allmachtsanspruch ...

Rumpfbahn

Wir fahren bis ans Ende des Rumpfes, der noch im Bau befindlichen Autobahn. Der Stumpf überragt etwa zehn Meter weit eine ausgedehnte Ackerfläche, in etwa fünf Metern Höhe. Wir verlassen das Auto und laufen ein paar Schritte in Richtung Stumpfende.

Wieso ist hier alles so grün frage ich meine androgyne Begleitung. Der Weiterbau verzögert sich. Und damit dieser Stumpf nicht hässlich in die Landschaft ragt wurde die Fläche rings um dieses vorläufige Bauende begrünt, nur ein Provisorium, so die Antwort.

Und während ich dachte, dass es schade sei, nicht durch dieses frische, helle Grün spazieren zu können, bewege ich mich unbewusst in Richtung des Randes. Da kann man aber nicht runter klang es halblaut von hinten. Auch ich verwerfe den Gedanken an ein Hinunterkommen beim Blick in die unmittelbar vor mir liegende Tiefe. Ich gehe wieder einige Meter zurück und schaue erneut über die vor mir liegende faszinierende Landschaft.

Und ohne nachzudenken laufe ich ein weiteres Mal entschlossen zum rechten Rand, übersteige die mir niedrig erscheinende Absperrung und versuche ohne jede Absicherung irgendwie hinunter zu gelangen. Und tatsächlich schaffe ich es, mich unterhalb des Autobahnaufbaus an einer Stahlstrebe, die aus dem Beton ragt, festzuhalten.

Die aber gibt unter meinem Gewicht nach und biegt sich rasch erdwärts. Doch was ich als bedrohlich empfinde, wandelt sich unversehens

148

in sein Gegenteil. Mich immer noch am Stahldraht festklammernd schweben meine Füße nun nur noch etwa einen Meter über dem Grund. Vier Meter hatte ich bereits baumelnd überwunden. Ich lasse los und lande mit einem dumpfen Plumpsgeräusch inmitten freundlichen Grüns.

Zechers Nachtgesang
Als morgens früh nach Haus ich ging,
sang hoch im Baum ein Zwitscherling.

Er hing, nein stand, nein flog, nein saß
und klagte ohne Unterlass.

Er war allein, zu zweit, nein viert,
Sein Pieps, nein Lied, es klang verwirrt ...

Sein Federkleid war gelb, nein weiß.
Wer zu viel zecht, schwatzt weiß, wer weiß ...

Juristen ABC

Ist es strafbar, wenn eine Katze einem Hund einen Vogel zeigt?
Wenn Ja: Wie könnte das Strafmaß lauten?

Wir halten fest - und fassen zusammen

A Hält die Katze den Hund für blöd oder zeigt sie im nur eine Trophäe?
B Der Hund klagt auf Unterlassung.
C Ein Vogel im Baum ist keine Trophäe.
D Der Hund interessiert sich nur für die Katze.
E Die Katze kennt sein Problem und bleibt im Baum.
F Zwar ist der Vogel klein, die Katze aber hat Hunger.
G Der Hund knurrt Richtung Richter.
H Der Richter fordert zu Plädoyers auf.
I Der Staatsanwalt plädiert auf Vorsatz.
J Der Verteidiger spricht von einem Missverständnis.
K Der Richter verdonnert die Katze, überlässt sie aber nicht dem Hund.
L Die Katze geht in Revision.
M Der Vogel stellt einen Befangenheitsantrag.
N Jetzt zeigt die Katze dem Vogel einen Vogel.
O Der Vogel hackt nach der Katze.
P Mehrere gezeigte Vögel deuten auf einen Schwarm hin, befindet der Richter.
Q Die Katze tatzelt nach dem Vogel.
R Den Vogel trifft keine Mitschuld.
S Die Katze verweigert die Aussage.
T Der Hund lebt in einem anderen Rechtssystem.
U Der Staatsanwalt ermahnt den Hund wegen Verfahrensverschleppung.
V Der Anwalt verweist auf die schwere Kindheit der Katze.

W Die Katze quatscht dazwischen.
X Der Vogel hackt nach der Katze.
Y Die Katze zeigt dem Richter einen Vogel.
Z Der Hund kackt auf die Zeugenbank.
Ä Der Schöffe zieht einen Colt.
Ö Die Prozessbeobachter gehen in Deckung.
Ü Dem Gerichtsschreiber geht die Tinte aus.
ß Der Richter geht in Pension.

Billy
Beim Blättern durch die Vorstadt-Zeitung,
erblick' ich 'ne Gerichtsentscheidung,

bei der sich mir mein Magen dreht,
beim Lesen, dessen, was da steht.

Ich glaub' es nicht. Ja, kann's denn sein,
dass Billy, dieses Alkoschwein,

nun frei im Park umher spaziert,
gar frech die Liegewiese ziert?

Verfolg' Bills Fall schon seit zwei Jahren.
Jetzt endlich schließt man das Verfahren.

Was ich da lese klingt nach Ehrung.
Für dies Delikt gibt's nur Bewährung?

Denn Billys Kindheit - bös der Vater,
am Fensterkreuz hing tot Bills Kater -

sie war geprägt von Finsternis.
Auch Mutter oft der Faden riss ...

Die Trübsal stimmt den Richter milde,
obwohl Bill mit dem Auto killte ...

Voll Alkohol saß er am Steuer
und wurde so zum Ungeheuer.

Gleichwohl, dem Richter schwand sein Groll.
Zur Tatzeit war der Bill randvoll!

Da fällt ein Urteil wirklich leicht.
Denn drei Promille bei Hundert - reicht.

Ein Vollrausch, welches schwere Los,

macht den Verstand besinnungslos.

Wen Alkohol gar schier erdrückt,
so dass die Fahrt mit Schnaps nur glückt,

der kriegt im schlimmsten Fall Bewährung.
Für Billy war das die Bescherung.

Mir fällt's wie Schuppen von den Augen.
Das Saufen kann ja zu was taugen ...

Trink' mir zunächst die Birne dumm,
erst dann murks ich mein Gegner um ...

Kein Urteil wird mich je mehr schrecken.
Lass' meinen Feind im Suff verrecken!

Ein Hoch auf die Gerichtsbarkeit.
Jetzt geh ich saufen, seid gefeit ...

Servirka

Ins Café gehe ich wegen der heißen Schokolade. Und wegen der hübschen Serviererinnen. Ob drin ob draußen - immerzu schau ich mich um, ob was passiert. Und wenn etwas passiert - was dann passiert. Ich bin ein Augenmensch. Sitze ich draußen, kann ich auch eine schmauchen. Schmauchen und schauen. Eher spannen, so richtig ausspannen, beim Anschauen. Ausgeprägter Genuss, spannende Entspannung – augenblicklich, unverbindlich.

Schön, wenn sie an ihrer Arbeitskleidung zupfen. Meist am Schürzenschleifchen. Oder wenn der Reißverschluss ihres schwarzen Minirocks nicht mittig geglaubt wird. Dann ziehen sie ihn nach links oder rechts. Oft nur wegen des Gefühls, er könnte nicht richtig sitzen. Immerzu scheint da was zum Zupfen, Zurechtrücken oder zum Ziehen zu sein. Manchmal hängt auch die Bluse etwas heraus. Mal schwarz, mal weiß. Dann wird sie wieder unter den Rockbund gestreift – oder ruppig und hastig hineingestopft - wenn's schnell geh'n soll, und gerade mal niemand hinschaut – glauben sie …

Ich frag mich dann, wieso die überhaupt herausrutschen konnte. Vielleicht ist sie nur zu kurz denk ich mir, wahrscheinlich gewollt, zu kurz … Also, diese Luder … Und wenn sich die Damen dann nach vorne beugen müssen, spannt die Bluse Übergebühr und ein Streifchen Rückenhaut lugt hervor.

Interessanterweise sieht man bei dieser Bewegung nicht nur die Rückenhaut, sondern auch, vielsagend ahnend, deren verborgene Südausdehnung. Von Dame zu Dame sind die Ahnungen bisweilen unterschiedlich. Doch ahnungslos bin ich nie. Die Kellnerinnen wohl auch nicht.

Sie sind professionell. Die meisten von ihnen. Auch spielt es eine Rolle, wie man mit ihnen umgeht. Macht man als Kunde in deren Augen einen Fehler, droht Verdruss. So, wie am Nachbartisch. Nicht selten sind die Kunden anzüglich bis rotzig. Gezeter hebt an, Gezerre wird lauter. Kaffee zu kalt, Tischtuch befleckt, dauert zu lang, sind gängige Zankäpfel. Dann wird auch mir die Kurzweil ärgerlich, werden doch meine Tagträume unterbrochen. Unterbrochene Tagträume sind vertane Zeit, verletzte Gelegenheiten. Um den Ärger der Tischnachbarn wegen geh ich ja schließlich nicht ins Café! Man glaubt ja nicht, wie oft Kuchen verwechselt werden. Und Sahne drauf ist, wo keine hin soll. Wenn's nicht gerade mir passiert, ist das aber schon mal eine Gaudi. Gewissermaßen ein Pausenfüller, wenn die Servirkas gerade mal außer Sichtweite sind. Dann ist Kurzweil mit Remmi-Demmi Einlage besser als Langweil.

Ein Caféhaus-Leser bin ich nicht. Ich bin der Typ 'unauffälliger Beobachter'. Der Sherlock Schweifblick unter den Nichtlesern. Sitze ich im Café, dann aber möglichst so, dass ich auch nach draußen sehen kann. Optimal wäre ein Rundblick auf Tresen, Drinnen und Draußen. Immer aber mit Blick auf 's weibliche Personal. Das hat es mir angetan. Doch was? Was hat es mir angetan? Leider hat es mir bis dato nie etwas angetan, außer, dass es seinem Beruf

156

nachgeht. Dies führt leider nur zu geschäftsmäßigen Distanz-Kontakten. Was darf 's denn sein, bittschön? Einmal heiße Schokolade, dankschön. Die Rechnung, bittschön. Auf Wiedersehen – und Dankeschön.

Meist seh' ich mich dazu gezwungen, mir etwas zusammenzuphantasieren. Meine verstohlenen Blicke scannen das Publikum, röntgen die Damen, immer auf der Suche nach deliziösen Augenschmäusen. Meinen Tastblick tarne ich mit irritieren wollenden Blinzelblicken, knapp oberhalb des Randes meiner randlosen Brille. Keinesfalls dürfen die Erwählten in ihren natürlichen Bewegungen gehemmt werden. Hin und wieder sind sie eher züchtig gekleidet. Meist sind es die Älteren, die Sandalen und lange Röcke tragen, hochgeknöpften Gouvernanten ähnlich. Manche sind trotzdem hübsch. Da stört die Aufmachung nicht, röntge ich durch sie hindurch tut sich mitunter Romantisches auf. Dann grüble ich darüber, was sie schon alles haben durchmachen müssen, so, wie das Leben sie gezeichnet hat, und sie trotzdem noch apart ausschauen.

Ganz anders hingegen verhält sich das mit den Tippjägerinnen. Die gehen klamottenmäßig hart an die Grenze zum Nuttigen. Sie betreiben dann ihr Spiel ‚Du weißt Bescheid, ich weiß Bescheid'. Provokation als Jagdwaffe. Harmlose Caféhausbesucher meiner Couleur kommen dann nicht umhin, ihnen unverhohlen auf die Glocken zu glotzen. Ich schiele denen auf die Möpse und die spekulieren auf ein deutlich angehobenes Trinkgeld.

Die kleineren wippen mehr, als dass sie schwingen. Tiefe Dekolletees, oder wie zufällig aufstehende Blusenknöpfe, beides hat gefälligst die Extrazahlung zusätzlich zu befeuern.

Zu schämen gibt es da nichts beim Bescheidweiß-Spiel. Eher schon liegt mir die künstliche Aufregung. Denn wenn ich und wieder notgedrungen in weiblicher Begleitung hier bin und die Dame dann glaubt meinen zu dürfen, so ein Aufzug sei ungehörig, dann pflichte ich ihr – mein Haupt erschütternd schüttelnd – fassungslos geneigt bei ...

Sollte sich aber in mir doch einmal so etwas wie Scham zeigen, dann, und nur dann, legt sich in meinem Hirn ein neuronales Hebelchen. Und das programmiert mich auf Trotz. ‚Ich hab' die doch nicht so angezogen' brodelt es dann in mir, mich im Brustton erboster Scheinheiligkeit echauffierend, versteht sich ... Oder ich pfeif mir das Liedchen vom längst verblichenen Moser Hans, ‚I hoab die scheanen Moadeln nets erfund'n ...'

Ja. Der nicht - und ich auch nicht. Ich sitze hier, harm- und hilflos, unaufgeregt im ungeschützten Raum, einem naturtriebferngesteuerten Opferlamme gleich, bei meinem lauwarm besahnten Kaka-Oh, nichtsahnend ergebnisoffen konfrontiert mit einer abgefeimten Szene, die sich gnadenlos anheischig macht, meine tiefe Moral zu verletzen, was sag ich, zu verätzen, was sag ich, zu zerfetzen! Sollen die sich doch therapieren! Unerhört! Mich dermaßen ungefragt erotisch aufzuladen – nur um mich finanziell zu überrumpeln, ja auszulaugsaugen!

158

Da ist noch lange nicht heraus, wer da wen fast vergewaltigt! So einfach geht das - nicht. Lupenreine Caféhaus Dialektik eben. Muss mir halt meine Ausreden nur lang genug einreden – klappt süüüpeeer …

Und kommen dann zur Optik noch gewisse Gerüche hinzu – na dann! Hochnotpeinliches – Na – dann wird da geschmettert – lautlos, versteht sich. Nur keinen Auflauf - jetzt – wo alles so genial abläuft …
F.J.S. selig würde an dieser Stelle gebellt haben: „Haben Sie überhaupt Abitur? Luder Sie! Bei mir knistert 's zwischen Knie und Hals. Und Sie? So lässt sich die Republik nicht erigieren, meine Damen – und regieren schon gar nicht!"

Der Kopf hat Pause. Spätestens jetzt haben die mich vollständig eingekreist. Ganz gewiss. Mitunter gibt es aber auch äußerst unangenehme Schweiß/Parfum Ausdünstungen, eine ekelerregende Mixtur, ein Fall eigentlich fürs Anlegen einer Atemmaske. Doch auch diese Mischerinnen haben ihre Kundschaft. Bedient die Olfaktorie doch den ausgefallenen Schnuppersinn. Trifft hingegen die Duftwolke meinen Geschmack, liegt der Fall erbarmungslos. So schnell und so viel kann ich dann gar nicht bestellen bei der Dame, damit die ständig um mich herum kreiselt und meine Nüstern bis hin zu unpassendem Niesreiz reizen. Dramaturgisch ist dann jener Punkt erreicht, an dem ich freiwillig nicht mehr fliehen möchte. Viel zu klein meine Nase dann, Brille schief, blöder Blick weil auf intelligent gemacht, eine jämmerliche Gestalt abgebend! Durchschaut, ertappt, nun selber durchröntgt.

Die wissen alles! Zugeschnappt nun, die olfaktorische Optikfalle!

Ähnliches ist gerade passiert, am Nebentisch. So tief, wie die sich über die Rechnung beugt, vorm nahezu skelettierten Gichtbock. Gleichzeitig mir ihren knapp miniberockten Hintern entgegen reckt – stramm, hochhackig, dezent seidenbestrumpft, dabei frech aufreizend verharrt. Bis dieser Opa, den sie gerade abkassiert, seine Groschen beisammenhat, mühsam in seinem Geldbeutel wühlt und rührt, als wenn seine Grapsch-Pfoten Gott weiß wo unterwegs wären. Dieses senile Ferkel! Klotzt ihr keck auf die Riesen, die sie wie zufällig leicht schwingen lässt. Wohl dosiert, damit der Tipp des bereits transzendierenden Gerippes steil ansteigen möge. So eine Sau! Bis der endlich seine drei Silberlinge scheppernd auf die Tischplatte gebröselt hatte genieße auch ich den mir beschiedenen Teil. Schließlich ertönt noch sein verzittertes Dankeschön-Stimmchen. Dankschön-bittschön, krächzend zum Vortrage gebracht …

Doch nun bin ich dran! Mit zahlen. Dann dreht sich die Grazie in meine Richtung. Dann gestattet sie mir die Nahaufnahme auf Melonien. Der Opa aber bleibt strategisch hocken, keine Anstalten vortäuschend, gehen zu wollen. Der alte Sack kennt wahrscheinlich auch das volle Programm, peilt er doch jetzt frech auf ihren Arsch. Verdrückt hat der sich schließlich auf 's Männerklo.

Wird mir von einem Kellner serviert ist mir das
nicht so recht. Dann ist die Zeit gekommen mir
eine Lady herbeizureimen.

Hallo, liebste Sonja Glück.
Bring die Liebe mir zurück.

Lass es einmal noch gescheh'n,
senkrecht ihn zum Himmel usw. ...

Das funktioniert prächtig. In Verbindung mit
den herbeiersonnenen Düften der leider gerade
abwesenden Damen, noch obendrein vermischt
mit den feinen Aromen meiner Havanna, rückt
mein Erlebnishorizont in die wunderbare Nähe
einer Überkompensation erlittener
Auslassungen Vortags. Auch wurde heute mein
Soll an künstlicher Scheinaufregung sublim
übererfüllt. Doch nun muss ich die auf mich
sinnesflutartig eingestürzten Einflößungen
dieses Nachmittags alsbald andernorts
ablassen, denn Ablass, Ablass muss schon sein
...

Und es welket die Nelke ...
Ich bin kaputt.
Ich bin erschöpft.
Mein Streben welkt.
Fühl' mich geschröpft.

Ich bin verblüht.
Ich bin verglüht.
Arg schwer
und trist nun
mein Gemüt.

Ich bin verbrannt.
Ich bin verbraucht.
Mein Leben wirkt
wie ausgehaucht.

Ich bin entleert.
Ich bin passé.
Bin stumpf
und blass
sag nun
ade.

Spielverderber

Welche von den drei Mitspielerinnen, so wurde ich kürzlich von einem Mitspieler gefragt, würdest du dir als Lebenspartnerin aussuchen, wenn du die freie Wahl hättest?

An diesem Leim werde ich nicht kleben. Das wäre ja, wie wenn man umgekehrt eine der drei fragen würde, wen sie sich von uns aussuchen würde.

Aber ich mein doch nur so als Spiel ...

Nichts zu machen. Und noch eins mein Freund. Wenn die Ladys die freie Wahl hätten, egal welche von denen, hättest du Kaschperl eh Null Chancé.

Oho, oho, der Herr Flaneur, Bonvivant, ersatzweise Rittmeister ...

Null Chancé.

So is er halt, der Stenzl Wahnfried. Uneitel, bescheiden, demütig.

Korrekt! Nur so kommt man weiter, auf der Tugenden schönsten Pfaden. Nur feinstes Spiel selbstloser Hingabe treibt zu huldvollem Erblühen.

Ich weiß, welche du nehmen würdest ...

Du wirst lachen – ich auch.

Aaaha! Also doch.

Du langweilst.

Zu dir passt die Klugkleine.

Sage nix.

Die Reifgütige.

No Komment

Die Schlanklustige.

Lasses bleibn. Und außerdem: Wenn's doch so einfach ist, das Spiel, dann sag halt selber was.

Aber wenn ich deine nehm haust du mir aufs Maul!

Und ein „Da ist eh keine darunter" wirst du mir ebenfalls nicht entlocken …

Spielverderber

Psycho Pathetchen
Ach, ist das dumm.
Ein Messer liegt rum.

Die Klinge ist scharf.
Hab' keinen Bedarf.

Will's nicht verwenden …
Übel könnt 's enden …

Soll nicht im Weg steh'n,
die Blonde, soll abdreh'n.

Ach, ist die dumm …
Die bring ich jetzt um!

Oder nach Hause.
Brauch' auch mal 'ne Pause …

Stets bemüht
Oder wie das Eichhörn auf der Suche nach
einer verlegten Nuss beinahe einer Fledermaus
begegnete – ein Fehlversuch

‚Sage es kürzer' ist für mich keine Option. Nie
gewesen. Wird so bleiben. Meine Texte, so der
infame Frechling, bewegten sich ‚am Rande des
Unerträglichen.' Flegel! Da glaubt doch glatt
ein Niemand sich erdreisten zu dürfen, was,
was ja was nun? Sprachlosigkeit bemächtigte
sich meiner Kommunikationsstrategie. Heini
der. Wer als Leser, kritischer Leser oder
lesender Kritiker die Ansicht vertritt, meinem
literarischen Oeuvre mit solchermaßen hohen
Ansprüchen entgegen treten zu müssen, wird
zwar an seinen selbstdefinierten Ansprüchen
scheitern, mir aber die Schuld seines
Strauchelns anhängen, nur weil er partout
nicht ablassen will von seinem weltfremdelnden
Ziel, die Früchte meines Schaffens flugs auf die
erschreckende Tiefe seiner Zumutungen
hinabnörgeln zu müssen …

Was reg' ich mich auf. Literatur darf
unerträglich, ja unverträglich sein – wenn sie
es nicht sogar sein muss. Beides kann sie
werden, etwa durch latente
Fragmenthaftigkeit, hervorgerufen etwa durch
ein episches Ziehen, Dehnen oder Strecken des
Textgutes. Und gerade das ist es, was die
schriftlich niedergelegten Partituren des
Romanciers, also meine, auszeichnet. Sie
ziehen, dehnen, strecken – ja, sie erstrecken
sich – und das - sogar.

Mein Oeuvre zieht sich eher, als dass es sich
dehnt. Der Leser assoziiert Sirup oder Honig,
166

klebrige Fäden über Hemd und Bluse, Hose oder einen Rock spinnend, um dann, wenn man etwa nicht aufpasst, nur einen Augenblick abgelenkt aus dem Fenster guckt, aufgeschreckt wird, vielleicht durch ein umfallendes Fahrrad, das - achtlos an einer Wand lehnend - vom Postwägelchen des Briefträgers touchiert, zu Fall kommt, nur weil es im Wege stand, jetzt aber bereits liegt, erschütterungsbedingt noch ein wenig nachwippt, schließlich wieder - in gewohnter Starre - schweigend zur Ruhe kommt.

Auch Fahrräder dürfen liegend zur Ruhe kommen – insofern, werter Herr Briefträger – haben Sie immerhin nicht alles falschgemacht. Ein kleinepisodales Ereignis zwar. Doch was ist mit Hemd und Bluse? Was hat der sich dahinziehende Textfaden inzwischen angerichtet? Gewiss, man war abgelenkt. Bestimmt hätte man den Text verstanden, zumindest Teile davon. Und hätte man doch nur nicht seine Garderobe dermaßen verkleckert, hätte, ja hätte man sich doch nur nicht von des Briefträgers Fahrrad-Karambolage ablenken lassen. Doch nun hat man - stattdessen oder immerhin? – beides: Nichts verstanden und besudelte Klamotten …

Ungeduldige rufen bereits an dieser Stelle, „Oy, oy, oy sowie Hoppla! Hoppla, also diese Briefträger! Da ist aber eine unverhofft treffliche Kurzgeschichte entstanden, auf die wir lange gewartet, die der Impresario und Schriftgelehrte, also ich, uns da humorigst angetragen".

Indes. Bisweilen dehnen sich meine Texte mehr als dass sie sich ziehen. Sie dehnen sich gleich einem Textilgummi, wie er etwa in Wollbadehosen verarbeitet worden ist, Anfang des 19. Jh. Zwar scheinen Text- und Textilfaden noch hinreichend stramm gespannt. Doch bald ähneln beider Elastizitäten eben jenem ausgeleierten Badehosenbundgummi früherer Jahre, seinen Träger – Hose peintief hängend - unsäglicher Blamage am überfüllten Strand auszusetzen drohend.

Und genau so, wie eine Mutter, meine Mutter, eine Frau, meine Frau oder Freundin, meine Freundin, ein Weib also, das es nicht nur können sollte, sondern es auch kann, ein neues Band von M. Schneider in die Hose einzieht, so ziehen und dehnen sich meine Zeilen, Sätze, Absätze, Abschnitte, Kapitel, Bücher und Bände, Regale füllend, zunächst kleine Wandregale, wie man sie erwirbt, wenn man noch nicht sicher ist, ob der studentische Etat reicht oder der geistige Horizont tatsächlich dereinst Raum zu brauchen droht, Platz zum Kauf weiterer Fachwerke zu beanspruchen. Oder wenn noch im Dunkeln liegt, ob dereinst die kleine zu einer großen Leseratte mutiert, die Texte auch dann verschlingt, wenn die stets ebenfalls rattengeplagte Kanalisation nag-akzeptabelste Speisen ablenkungsorientiert bereithält, um eher den Magen zu füllen, denn des Hauptes anspruchsvoller Geist ...

Ist erst einmal diese Prosperitätsklippe meines Schaffens geschafft, folgt dem Dehnen – und dies kurz vor dem Überdehnen - das Strecken – unmittelbar gefolgt vom Er-strecken. Denn erst ab dem Erstrecken reichert mein Werk

168

auch größere Bibliotheken an, kapazitätsfähig, meine Ein- und Ausfälle beherbergend, die kontinuierlich ersonnen, erdacht oder sich zufällig entwickeln, entlang an einer Idee, die sich zu einem Gedanken mausert, sich zu einer das Hirn immer stärker herausfordernden Denkmasse mal bläht, mal mäandert oder verdichtet, um schließlich - Loopings drehend - dort, wo der Poet, also ich, der Überzeugung ist, also bin, oder zu sein scheint, vielleicht gar der Überzeugung sein muss, oder nur bisweilen will oder einfach nur gut findet, oder es vielleicht besser daher passt, wohin auch sonst, wenn nicht genau hier hin, jedenfalls nicht einfach irgendwo - hin, vielmehr gezielt platzierend, zunächst zwar deutungslos, gerne auch andeutungslos, den Leser völlig überraschend, nie jedoch, bedeutungslos dient.

Das Problem: Das Ziehen meiner Prosa geschieht unter Zwang, denn gerade Erfolgszwang ist besonderer Zwang. Hat meine Prosa doch dünnes Wissen zu kaschieren, hohle Räume tarnend zu bemänteln, sie dabei aber schwungvoll hinhaltend auszufüllen. Weil dort, ausgerechnet dort, leider, leider gerade mal nichts ist, wahrscheinlich noch nie etwas war oder es einfach nichts gibt, das dort hinpassen würde. Besonders misslich ist, wenn zwar ein Gedanke da aber partout jetzt nicht zur Hand ist!

Ehrenrettung! Achtungserfolg! Ein Gedanke ist zwar vorhanden, doch leider, leider und ausgerechnet jetzt nicht zur Hand! Wo er doch dringendst einen Hohlraum zu füllen hätte. Ein Jammer! Zu schön wäre die Lösung gewesen, Erfüllung durch Auffüllung. Zu dumm! Jetzt, wo jeder meine überaus zentrale Botschaft erfahren könnte ist sie nicht zur Hand. Unverschämt. Einfach frech weg. Im Augenblick und angesichts der wahrscheinlich aussagefähigsten Stelle dieses so schmalspurigen Textes. So bleibt mir Substantielles verwährt. Aufblitzender Genius versagt - verfehlt, verpasst, vertan.

Doch sind Schriftsteller immer auch Aufrappler. Sich eins uns andere Mal wieder aufraffend setzen sie unbeirrt ihr messianisches Tun fort. Indem sie scheinbar planlos Gedankenblitze, Spontan-, Reflex- oder Affekttexte gezielt in ihr Werk einstreuen und damit auf den Aufmerksamkeitszuwachs des durch allerlei Ablenkung latent zerstreuungsgefährdeten Lesers zielen, mithin mittels implosionsartiger Dichte und Fülle sowie knallartiges Aufplustern subtil sublimer Inhalte eine in aller Form entgeisterte Zustimmung erzeugen – so, das Kalkül. Ich fühle bereits an dieser so frühen Stelle meines Opus Divanöses in mir aufsteigen ... die Leichtigkeit des Weisen so zu sagen ...

Apropos aufplustern. Haben Sie jemals einen sich abplusternden Vogel beobachtet, der sich zu seinem ganz normalen Vogelformat zurückplustert, gewissermaßen redimensioniert, um wieder ein Allerweltsvogel zu werden, ein Eintönling, als banaler Spatz unter Spatzen, reartifiziert, freiwillig wieder verwechselbar mit einem x-beliebigen seiner Art, einem Jedermann, der nach getaner Arbeit zum Bahnhof trabt, eilt oder hetzt, um auf den letzten Drücker seinen Regionalzug zu erwischen, dabei womöglich stolpert, sich wieder aufrappelt, um doch noch einen

170

Sitzplatz im stets überfüllten Vorortzug nach
Hanau zu ergattern, weil die Rumsteherei auf
dem Nebengleis in Bischofsheim/Rumpenheim
nervt, täglich zu erleiden ist, wegen der feinen
Leute in ihren weißwurstoptischen ICE's nach
Passau, Linz und Wien, die – grün beampelt -
an ihm vorbei jagen?

Dieses Volumen erheischende Aufplustern ist
gemeint, wenn von Zeilen die Rede ist, die -
nach langem Kriech- und Siechtum - nun
plötzlich angefüttert mit einem knallbunten
Strauß an Ideen und allerlei
impressionistischem Beiwerk, in einer
ungeahnten Wucht zu einem Wortrausch
dimensionieren, den es mit aller Kraft zu
bändigen, zu dressieren, zu formen und - zu
gestalten gilt.

Doch wie? Der Verleger drängelt, die
Konkurrenz ist auf den Beinen und mir auf den
Fersen, man selbst steht unter dem selbst
gezimmerten Anspruch haushoher
Überlegenheit – wenn man denn endlich damit
begänne, sich bequemte, Ideen,
Denkwürdiges, Merkwürdiges kaskadierend zu
kanalisieren loszutoben ...

Indes. Virtuosen sind auch Anarchisten. Ihre
selbstgestellte Aufgabe lautet nicht selten:
Bändige ohne zu dressieren, dressiere ohne zu
formen und forme ohne, ja ohne -
Gestaltungsziel. Wie aber soll das gehen? Und
wenn es denn ginge – ginge – es - denn - gut?

Was aber ist gut? Was ist für wen gut, wenn es
schon einmal gut ist? Gut für den Autor etwa,
also mich? Den Leser? Die Kritiker gar?

Spätestens bei diesen Fragen nach purer
Qualität droht dem Maestro, also mir, wenn er
nicht alle Fakten gründlichst analysiert und
einem unzweideutig fällbarem Positivurteil
zuführt, womöglich gehörig an die
nächststehende Dorflinde zu schmettern.

Methoden, Instrumente, Kniffe, Tricks,
abgefeimteste Winkelzüge, gerne auch Plagiat
unterstützender Support, all das liegt bereit,
das Werk in Gang zu setzen, wenn, ja wenn
nur die zündende Idee, der Funke, die alles in
Bewegung versetzende, initiierende
Initialzündung, sich - flehentlich ersehnt und
erbettelnd - einstellte!

Roman, Novelle, Drama, Essay, Erzählung,
Pamphlet, Traktat, Bericht, Meldung, Nachricht,
Abriss – all dies, und all dieses darf der Text
werden und sein. Eines jedoch nicht – nichts …

Wiederholt prüfe ich das Beiwerk. Beiwerk ist
auch die Sättigungsbeilage in der Literatur. Ein
Wörtermix, den keiner braucht, wehe aber, er
steht einem nicht zur Verfügung. Dann wird
das Buch zu schmal und droht der
Wertlosigkeit anheim zu fallen. Ein skelettiertes
Hauptgericht bleibt einem im Hals stecken. Das
merkt man sich und geht da nicht mehr hin.
Eine auch scheinbar geistig sättigende Zutat
muss man dazu tun sonst ist sie keine.
Argumente, Exempel, Sachverhalte, Apodikten
und Aphorismen, Metaphern, Codes und
Chiffren sind meine Zutaten, Beiwerke.
Beiläufig aber gekonnt kryptisch sind die dem
Werk beizumengen, das im Stadium seiner
Entstehung noch getrost als Wörtersee, -brei, -
172

masse, gerne auch als Buchstaben- oder Urtextsuppe bezeichnet werden darf. Selbstverständlich ist dabei die Dramaturgie für das Große und Ganze im Auge zu behalten, reflektierend zu kommentieren und immer wieder umzurühren. Umzurühren mit dem Rührquirl des geistigen Zutatengebers, also mir, einzuhegen mit der Egge lianer Schlank- und Rankheit. Nur so lassen sich jene Fäden spinnen, die das Oeuvre zu einem Epos ziehen. Unter keinen Umständen aber darf die durchaus als zähe Masse wahrgenommene Suppentext- oder Textsuppenmasse kleben, schon gar nicht an- oder gar festkleben, steckt doch im An- und Festkleben das für uns so wichtige Wort Leben. Und wo kein Leben, da braucht es auch kein 'k', kein 'an' oder 'fest'. Wir lernen: Nur Leben nimmt Sprache ihr Verhunztein.

Übrigens rührt ungerührter Text auch seinen Leser nicht an. Nicht an und auch nicht um. Und ungerührte, erlahmte Leser können sich nicht zu Multiplikatoren entwickeln, sie bleiben statisch, verharren abwartend, lauernd auf etwas, das aus meinen Textnebeln aufsteigen möge, wenn sie schon nicht in sie hineintauchen können. Und genau diese, meine Epoche machenden Distributionsschleudern sind gemeint, wenn von Transmittern die Rede ist, die meine intensivst geplante Unsterblichkeit bienenfleißigst beflügeln sollen, müssen, ja müssen sollen …

Des Weiteren haben meine Texte beschwingt daherzukommen. Leichtfüßig tänzelnd, dabei aber immer auch höchste Ansprüche infam vortäuschend, diese zu befriedigen wollen

173

vorgebend. Gespielt professionell das alles, im Modus lässig nachlässig brillierenden Einschmeichelns. Schlichthin so, dass mir der Leser ja nicht durch mein angebotenes Motivgebilde taumelt, aneckt, strauchelt, letztendlich gar zu Fall kommt. Andererseits: Mag, ja, soll er doch ausklitschen. Aber doch bittschön nicht wegen meines Textes! Das darf, ja soll er immer wieder gerne im Geschreibsel anderer, aber welcher? ... ,Autoren'. In meinem Bukett habe ich streng auf die Nichtniedersinkbarkeit meiner Umworbenen zu achten - mittels behutsam und geschickt geführter, dem Literatenerguss sich dahinschmelzgeneigter Feder.

Sinkt hingegen der potenzielle Delinquent tatsächlich verletzungsträchtig dahin, so ist dies keinesfalls meine Schuld. Sein straucheln, stolpern, stürzen, also sein unfreiwilliges, nur den Gesetzen der Physik gehorchendes, gewaltsames Daniederkommen hat auch sein Gutes, ist er doch – und anders kann das ja gar nicht sein – auf der feuchten Tusche fremder Autoren ausgeglitten. Prinzipiell ist das aber unerheblich. Hätte auch gerne eine Duschkabine Ursache für dessen und oder deren Abgleiten sein können, ist doch der Grund des Ausglitschens an sich von untergeordneter Bedeutung. Spektakulär wäre bestenfalls und etwa ein Daniederschmettern im Unterholz des Ginnheimer Wäldchens, schlimmste Blessuren einer entfesselten Wirtshausrauferei davongetragen zu haben oder Opfer einer missratenen Hängemattenerstbesteigung geworden zu sein.

174

Indes. Soll er sich doch und überdies übergeben, seine Knochen stolpernd frakturieren. Aber nur in etwa so weit, als dass er endlich einmal Zeit findet, im Spital oder wo sonst ausgedehntest rekonvaleszierend zum Liegen kommend, nach meinem Buch verlangt, mein Buch zur Hand nimmt, meinen Text liest, um dann festzustellen, ach wie schön er doch ist, und wie schön es doch ist, einen unübergebenen, unverstolperten und ungebrochenen Text einmal ununterbrochen lesend genießen zu dürfen. Noch dazu einen, der erbaut, aufbaut, Kraft verleiht, Zuversicht nicht nur verbreitet, sondern auch zuversichtlich stimmt. Literarischste Literatur also, die den Maladen ungeduldig süchtig machend aus seiner Bettstatt treibt, um sogleich am Klinikkiosk nach meinem neuesten Seller, ihn gierend erwerben wollend, auch demütigst weit hintan schlangelt, um, wenn mein Werk bereits vergriffen sein sollte, was die Norm zu sein hat, nachzubestellen. Wenn es anders nicht geht möge man den Weg der Ausleihe beschreiten um das Einmalige abzuschreiben, notfalls abfotografieren, damit es neben all meinen anderen Werken einen würdigen Unterstand findet in der Regalwand, die nur einen Autor, also mich, kennt. Erst wenn alle Versuche des Erwerbs gescheitert sind, darf das entliehene Exemplar nach einer ausgedehnten Phase seines Weiterverleihens der Bücherei tränenreich und unter Zuhilfenahme zittriger Hand zurückgereicht werden, zögernd, die bebuchten Hände immer wieder zurückziehend …

Die mir zutiefst Zugeneigten erwarten frischen, unverbrauchten Stoff, der sie per vertrauter

Plauderei gesellschaftsfähig erhält und solide glänzen lässt auf Partys, bei Kamingesprächen, Soireen und - wenn es nicht anders geht - ausnahmsweise auch an angestammten Tischen. Neben Sauer-, Kleider-, Film- und Fernsehstoff braucht, ja, verbraucht der Lesefäh- und -willige immer und immer wieder auch Lesestoff. Wird der aber als unverständlich, langweilig oder beides oder als nicht weitererzähl- oder gar weiterempfehlbar empfunden, dann kauft der als von mir zu allem fähig eingeordnete Literaturkonsument einen anderen ‚Autoren' – vage hoffend wahrscheinlich aber – überhaupt kein Buch mehr …

Vor diesem glücklosen Hintergrund wäre es für mich vorteilhafter, kaufte man überhaupt kein Buch. Denn mein Buch wäre dann - weil leider, leider noch nicht geschrieben – immerhin ebenfalls bei den ungekauften. Ein ungeschriebenes Buch neben den ungekauften im Regal stehen zu haben minderte oder neutralisierte im günstigsten Fall meine Trauer und Wut um mein Versagen.

Doch türmt sich keck sogleich eine neue Hürde auf, banal ausgedrückt: Lyrik oder Prosa? Lyrik - schwierig! Sehr, sehr schwierig. Reime sind out, obsolet, inopportun. Doch warum? Weil Lyrik den Leser denkmäßig derart in ein von ihm als unangenehm empfundenes Leseschema presst, dass es vermeintlich kaum lohnt, überhaupt mit eigenem Denken zu beginnen. Unterschiedlichste Versmaße, Reimvarianten voller holper- und stolpergespickter Wort- und Textgebinde, die hinterhältig den an freies und faires Denken

176

gewohnten Leser disziplinierend zu foltern trachtet, müssten die Malträtierten zunächst domptieren, um das grundsätzlich lesegeneigte Hirn wieder fit zu machen, nachdem es seit der Schulzeit nicht mehr genötigt war, in dieser absonderlichen Kategorie sogenannter Lyrik zu agieren. Nicht auszudenken, welche Pein einen frei rezitierenden Festredner anspringt, sollte der sich an einer bedeutungsschwangeren Stelle auf einen, sagen wir einmal, Haiku oder Knittelvers, einlassen - und scheitern, noch dazu vor er- und belesenem Publikum ...

Nicht minder peinlich wird es beim Unvermögen, den angemessenen Reim zum gegebenen Anlass auszuwählen. Etwa, wenn ein Mitarbeiter in den (wohlverdienten? – und hier beginnt bereits das Problem!) Ruhestand entlassen werden soll und sein Chef sich, gedrängt fühlend, bemüßigt, in einer auch noch selbst gedrechselten Reimrede zu folgenden Lobespreis-kombinationen glaubt anheben zu sollen. Zunächst inbrünstig drauflos schmetternd, doch dann rasch leiser werdend – rezitiert er stolz selbstgebasteltes, dünnestes Reimgebinde:

Lieber Kurt, ich mach' es kurz.
Heut kommt es zum Kassensturz.

Wie du weißt, in all den Jahren,
lagen wir uns in den Haaren,

Statt dich um den Job zu kümmern,
warst du nur am Rente zimmern.

Sage dir, von Mann zu Mann,
eigentlich wär' ich erst dran.

Mal' mir aus, dein schönes Leben.
Sollt' mir glatt die Kugel geben ...
usw.

Das ist doch keine Abschiedsrede! Selbst wenn
der Herr Kurt genau der war, wie er jetzt,
dürftig bereimt, vor uns druckst. Die
knittelversive Kritik käme zu spät. Auch wäre
sie - mal ehrlich - zu ehrlich. Da hilft auch
wohlfeilste lyrische Verpackung nichts. Der
chefseitig angedrohte Selbstmord aus Neid auf
das vor Herrn Kurt liegende, vermeintlich
schöne Leben als Flaneur rechtfertigt jeden,
keinesfalls aber den Hinweis auf diese hier
angeblich nur spaßhaft angedeutete, bzw. in
Aussicht gestellte, Neuausrichtung des Auf-
oder Ablebens des Vorgesetzten. Dann doch
lieber - Prosa! Jedoch ...

Jeder Hobbyliterat kennt das. Eine ganze Seite
wäre zu füllen, doch sie füllt sich nicht. Sie füllt
sich vielleicht nur deshalb nicht, weil der Füller
leer ist, Tastaturen klemmen, der Bildschirm
dunkel bleibt. Diesen Problemen wäre vielleicht
noch beizukommen. Zwar füllt sich die erste
Seite mit gefülltem Füller dann doch – noch.
Aber dann macht sich der Stoff rar, rar bis
davon - wenn er je da war, vielleicht nur da
sein wollte, nur mir zu liebe, da sein wollte, wo
er aber dann doch wieder nicht ist. Ganz zu
schweigen vom Ausbleiben eines zündenden
Funkens. Eben war man noch sicher, mit ca.
300 Seiten kaum auskommen zu können ...

Buchstaben quälen sich zu einem Wort. Das
einsame Wort quält mich. Der Leser darf 's
nicht merken. Alles muss frisch aussehen,
hochgradig ergatterungs- - was sage ich –
178

habgier-bedürftig. Der berlinstämmigen
Leseratte sollte zumindest ein langgezogenes
'Lang ha ick so wat jutet nich mehr jelesn, wa!'
entfahren. 'Fajiss ma uff det Internet un kiek
man lieba in det scheene Buch, wa. Un wat
waa det so lustig, ach ne weesde'!
Bemerkungen solcher Sublimität wären
optimal, einfach nur knorke, wa!

Oh wunderbare, inbrünstig ersehnte
Spontanidee, du Inspiration aller
Erleuchtungen, Hybris der ungelenken
Abgedrängten, mach' dich auf, treib' mich zu
nachgefragtem Tun.
Dränge mich zur Feder nun,
Feder nun, aus einem Huhn
Lass mich tunlichst Gutes tun.

Zu Papier denn also, edler Gedanke!
Lapsus, bleib fern der guten Tat.
Brich aus des Hirnes Enge.
Dringe ein! Tief – in freies Spiel,
aus freiem Fall.
Sammle, sichte, ordne - neu!
Blitz auf nun, blende und verglühe - nie!

Stattdessen - quälende Leere. Wer nie Trunken
war brauch auch nicht ernüchtern. Selten war
ein Trost so schwach.

Nun gut! Nichts ist zu verschweigen. Über der
Literaturszene kreist seit ihrem Bestehen ein
damoklesgeformtes Unwort, nein,
Wortungetüm: Füllsel. Das Füllsel.

Ja, ja, ja! Verflucht und natürlich. Gefillte Fisch
(bei Rubin, sehr lecker), gefüllte Paprika (bei
Schwiegermutter, sehr lecker), gefüllte

179

Zwiebeln (Kneipe in Sarajewo, sehr lecker),
falscher Hase (Mutter, selig, sehr lecker),
gestopfter Vogel (gerne Gans), (verschiedenste
Wirtshäuser, sehr lecker) usf. Aber Literatur?
Gefüllter Text? Ja um alles - womit, so fragt
sich der Begnadete, also ich, wo und mit ließe
sich Literatur füllseln. Gewiss. Von meinen
selbsternannten Mitbewerbern kenne ich das.
Und das zum Glück nur zu gut. Dranbleiben!
Sie sollen dranbleiben! Dranbleiben rufe ich
ihnen aufmunternd zu. Ja, genau! Jedes Wort
ist unschätzbar wertvoll. Schreibt auf was euch
gerade in den Sinn kommt! Schreibt auf und ab
aber schreibt! Nur in der schieren Länge eurer
Beiträge (zu was? Egal) liegt euer Geheimnis
lebenslangen Schreibens. Nur keinen
Redaktionsschluss fabrizieren. Erst wenn ihr die
etwa hundertbändige Marx Engels
Gesamtausgabe handschriftlich in euer
Gesamtwerk nachredigierend integriert habt,
dann – aber nur dann – dürft ihr auch gerne
Revolution machen. Macht sie mit euren
Machwerken, im Schubkarren stolz vor euch
herschiebend. Frechheit! Die MEGA ist doch
kein Füllsel, kicher. So oder ähnlich suche ich
mein Heil im Schein, wissend, jedes Wort
meines literarischen Epochaliums Gold- und
Dudenwaagen balanciert abgewogen zu haben.
Bliebe noch eine weitere Füllmenge
raumfüllend zu würdigen – der Schwulst! Der
Schwulst indes neigt zu einer abnormen Fülle,
die nur in einem eigenen Gesamtwerk, und da
auch nur ansatzweise, anbesprochen werden
kann ...

Aber auch das ist wahr: Ein Text neigt mitunter
dazu, sich hin und wieder auch einmal zu
strecken, kontrolliert und nur mit meiner

Unterstützung. Beispielsweise lasse ich ihn zu Kapitelbeginn erst im zweiten Drittel der Seite theatralisch beginnen, leite frühzeitigst Seitenwechsel ein, breche den Text dann brachial um, wähle eine sperrholzbrettverdächtig dicke Papierstärke, nutze Schrifttypen und -größen, Formate, die noch aus drei Metern Entfernung mühelos augenglaslos nicht aber glasaugenlos lesbar bleiben, entscheide mich für einen komfortablen Durchschuss, lege mich fest auf eine Randbreite, die an sich schon eine Weltneuheit darstellt. Hilfreich sind immer auch überdimensionierte, dicke Zwischenüberschriften und immer und immer wieder auch rettende, raumgreifende Absätze.

Das treibt die Zeilen- und Seitenzahlen in nobelpreisbrauchbare Höhen, Breiten, Tiefen und Untiefen, setzt dieses Gesamtgestaltnis den Leser doch auf vorteilhafte Weise nicht übermäßig überlangen, ihn womöglich überfordernden Unmengen aus, sondern offeriert ihm leichte, fast seichte Gedankengänge, Haupt- und Nebelgesänge, Stimmungen der See, Wortgeklimper zum Tanzen und Träumen, kurzum, den drogenfreien Trunk der Schriftstellerei. Dies wird die verehrten Verschlingerinnen und Verschlinger meines literarischen Topos zu rastlosem Umblättern treiben. Denn die Kunst professioneller Autorenschaft liegt im emotionalisierenden Beflimmern und Zerfleddern von Leserherzen, keinesfalls aber im Beflattern von deren Nerven.

Die Lektüre darf den in sie vertieften, gefesselten, alles um sich herum vergessenden

Literaturfreund unter keinen Umständen durch eventuell neue Anhalts-, Gesichts-, Stand-, Wende-, Brenn- und Tiefpunkte aus dem vertrauten Lesefluss reißen - in dem er allerdings auch nicht ertrinken darf.

Ewiges Ziel meines dereinst kosmischen Schrecken verbreitendes Konvolut bleibt es, sämtliche Federn selbsterklärter sogenannter ‚Konkurrenten' resignativ, destruktiv, ultimativ, mindestens aber – grabestief, einrosten zu lassen. Denn mein Traktat leitet sich bevorzugt ab von Traktat, Attacke, Harakirismen.

Nur Inhalte und Formen, die bislang nicht erdacht, haben eine Chance, bedacht zu werden. Oder aber aus genau diesen Gründen gerade nicht? Weil sie eventuell zu fremd, nicht gängig, zu strapaziös, maliziös, prätentiös, kapriziös, unseriös – letztlich – zu malträtiös wirken? Marderpfähle für Erstleser also? Sie scheinen mir dann doch zu risiko-überhandnehmend-drohend. Zu gewagt, zu abwegig, zu verwerflich - daher - verwerfend.

Fremdes, Unbenanntes, Nichtvertrautes, Unverdautes, ja - Halbversautes muss dem scheuen Reh der Gattung ‚Leser' äußerst vorsichtig erschlossen werden. Dies gelingt noch am besten dann, indem man einen Versuch am Umschmeichelten Objekt kreiert. Ein kleines, getarntes Experiment zwar, das der Schriftsteller, also ich, selbst erdacht und gestaltet, beobachtend miterleben kann. Denkbar wäre, Teile des neuen Manuskripts unauffällig an einem geeigneten Platz abzulegen, damit es aufgefunden wird und die Reaktion des arglosen Finders unverfälscht, aus sicherer Distanz, etwa hinter einem Baum hervorlugend, vom Observateur, also mir, goutiert werden kann.

Als Lockstelle stadtlandschaftlich reizvoll erschien eine Parkbank in Stadtvierteln mit ausgewiesenem Anteil hochintellektueller Wohnbevölkerung. Ideal wäre der Grüneburgpark oder der immergrüne Holzhausenpark im immer noch immergrüneren Nordend unserer Literaturhauptstadt Frankfurt am Main. Dort also, wo selbst im sehr hohen Hochbaumbestand noch reges Leben vermutet werden darf, in Mitten des Weltgewusels etwa ein gemeines Eichhorn selbstbewusst die Wipfel kreuzt, auf der Suche nach einer Nuss, die es im letzten Winter versteckt zu haben glaubte, wobei es ihm, dem Eich, nicht so sehr um die Nuss als vielmehr um das Wiederauffinden des Verstecks geht, das sehr raffiniert angelegt gewesen sein muss und deshalb dringend als Bleibe für die neue Hörnchen-Generation zur kulinarischen Bestreitung des kommenden Winters vorgesehen worden war. Alles in allem ein putziges Naturerlebnis, das es allein für sich genommen schon Wert wäre, in einer mindestens vierzigseitigen Fußnote wenigstens halbwegs gewürdigt zu werden. Vielleicht gar den Beginn einer fünfbändigen lokalen Grzimekiade werden könnte ...

Man wird sehen und Gleichwohl. Im Schub einer Art emotionaler Selbstüberwältigung, angerührt von der Perspektive unmittelbar bevorstehender Unsterblichkeit infolge unikatester Berühmtheit, ließ ich zunächst – meiner Karriere geschuldet - das Horn einmal

Hörnchen sein und schwappte zurück in die breite, wärmende Bahn süßester Selbstmythifizierung. Temporär begab ich mich wieder zurück zu einem Platz ungeliebter Stringenz, in Verbindung mit der noch deutlich ungeliebteren, ungefähren Realitätsnähe.

Ich freskote mir aus, wie die ersehnte Testperson zunächst einmal beinahe an der Parkbank vorbei gelaufen sein könnte, dann aber im letzten Augenblick ihres unstet umher schweifenden Blickes des von mir platzierten Gebindes jäh gewahr wird – scharf abbremst, abrupt herumwirbelt - zu einer Art schwankendem Stehen kommt, die kurze Zeit der sie wieder stabilisieren sollenden Selbstauspendelung nutzt, um, diebisch verstohlen und in alle Richtungen spähend, sich dabei über das Gebinde beugend, feststellt, dass ihr eigentlich noch etwas Mittagspausenzeit bleibt, verweilt, tief atmet, hellste Scheinheiligkeit verstrahlend, neben meinem Textköder Platz nimmt, um im Augenblick abgebrühtester Tarnung ihre sich flehend nach einem Physiotherapeuten umschauende innerste Anspannung hilflos zu kaschieren, sodann beherzt nach den ausliegenden Kopien meines normalerweise im Wäscheschrank meiner Mansardeneinraumwohnung unter allerlei Handtüchern versteckten Originals zu greifen, es in Händen wiegend, physisch prüft, beginnt, darin umherzublättern, liest, lacht, stutzt, den Kopf schüttelnd errötend erregt, um mir dann, trotz meiner zwangsläufigen Abwesenheit zustimmend, anerkennend - wenn ich mich denn zu erkennen in der Lage wäre - jauchzbelautet um den Hals zu fallen, dabei
184

denkt - und schließlich halblaut murmelt: "Na! Also so etwas! Alles liest sich so zusammenhängend, durch den Inhalt führend, zwar den Kerngedanken auch immer mal wieder verlassend, aber dann doch wieder daran anknüpfend, letztlich aber durch gewinnende, dynamisierende Einschübe den Leser (also sie, die Testperson; d.R.) wohlig schonend umschließt, herzerfrischend und hoch intellektuell bereichernd, einnimmt."

Auch Schriftsteller befällt mitunter eine vor allem bei umsichtigen Erdhörnchen vermutete Scheu. Immer auf dem Sprung, sich bevorzugt schlafstellend tarnt, sich dabei am liebsten versteckt zwischen Fledermäusen, wenn auch nicht kopfunter hängend, wohl aber nachtaktiv, um ungestört Manuskripte zu redigieren, die sie bei nächtlichen Streifzügen in besagtem Mansardenschrank wiederentdecken.

Mein Schreibtalent hatte ich früh erkannt. Was dem schreibenden Denker, also mir, aber immer wieder fehlte, woran es ihm immer bis heute mangelte, er es entbehrte, waren in einer verhängnisvollen Abfolge der unbekümmerte Zugang zu den Ruhm begründenden Profanutensilien wie Tinte oder Papier, Ruhe oder Ideen, Whisky oder Licht. Ist nur eine dieser Voraussetzungen nicht erfüllt, geht das Genie, also ich, spazieren. Man ahnt ja nicht, wie viel Spaziergänger nur deshalb unterwegs sind, weil sie entweder keine Tinte aber Ruhe, kein Papier aber Whisky oder Licht, doch keine Ideen haben.

Der Laienleser ist ahnungslos, doch er weiß es nicht. Und das ist Teil der Schwierigkeiten, die

Schriftsteller grundsätzlich haben: einen Ahnungslosen in einen Interessierten zu verwandeln oder den Desinteressierten zu läutern in Jemanden, der infolge Erkenntnisgewinnes Hoppla! ruft. Hoppla, da ist ja noch etwas, dass meinem oberflächlichen Leben unverhofft wenigstens zu flüchtigem Sinn verhelfen könnte!

Alphabetiker, also ich, dürfen deshalb auch in ihrem missionarischen Ansatz niemals ermüden! Liegt doch ein eminent gesellschaftliches Element in ihrer Arbeit, kein geringeres als das der permanenten Zivilisierungsertüchtigung weiter Teile der Bevölkerung aller Schichten, Ebenen und Klassen mittels Bereitstellung geschriebener, gedruckter und von ihnen freudigst angenommener Schreibwerke. Denn nicht jeder, der sich sicher wähnt, lesen zu können, kann das auch wirklich. Auch nicht alles, was vier Räder hat, ist deshalb schon ein Auto. Der Besitz von Schuhen sagt auch nicht zwingend etwas über die sie davontragende Person - und – wer trägt eigentlich wen?

Doch unter all jenen, die ein, nein, mein Buch eventuell erwägen zur Hand zu nehmen, sind jene die Schlimmsten, die glauben posaunen zu dürfen, sie würden ein Siebenhundert-Seiten-Werk in knapp zwei Stunden lesend und verstehend bewältigen. Zwar überspränge man die aufwühlenden Passagen aufwühlungs-emotional- und daher gefühlsbedingt. Man müsse aber dermaßen schnell lesen, damit keine Zeit bliebe für störende Reflexionen, Rück- oder Kurzschlüsse. Derlei Logiken interessieren mich nicht solange gekauft wird.

186

So ein Blödsinn! Diese Ignoranten, die aus
ihren persönlichen Gefühlsegoismen heraus
bewusst darauf verzichten, meine mit Akribie
gewählten Worte, Sätze, Absätze, Kapitel, etc.
auch nur andeutungsweise in ihre sowieso
nicht geplante Würdigung einzubeziehen.

Bestenfalls lindern könnte ich deren
Unvermögen mittels beherzten Griffes in
meinen literarischen Methoden- und
Instrumentenkasten - etwa im Sinne und unter
Zuhilfenahme eines leichtfüßigen Wechselns
von Prosa und Reim. Bereits kleine, notfalls
kleinste lyrische Einsprengsel in eventuell zu
lang geratener Prosa einzuflechten wäre
möglich. Der Leser Wirrnis zu endknäulen,
etwa durch das Auslösen kalkulierter
Gedankensprünge wie zum Beispiel meinem
legendären Regenschirmgedicht ...

Regenschirm, wo find ich dich?
Liegst du etwa unterm Tisch?
Wo auch ich seit Stunden sitz'.

Floh'st der harten Regentropfen,
trachtend, meinen Kopf zu klopfen ...

Dialogversuche dieser Art sind reimlich riskant
bis fragwürdig. Von beklopften Köpfen zu
fabulieren, zudem noch in Reichweite erst zu
gewinnender Leser könnte bei ihnen zu Ich
bezogenen Fehlinterpretationen führen - das
Gegenteil meiner guten Absicht wäre
niederschmetternd.

Einen die Prosa auflockernden Einschub könnte
man sich auch in Form einer innigen

Liebeserklärung denken, ließe sie die Herzen
doch schneller schlagen.

Was wäre ich
nur ohne dich?
Was wärest Du
wohl ohne mich?!

Was wären wir,
ganz ohne uns?
Wir wär'n zwei Ferkel,
ohne grunz.

Ist zwar eher auch keine Liebeserklärung. Für
Liebeserklärungen gilt grundsätzlich, dass sie
in das textliche Umfeld passen müssen. Dazu
gehören auch erkennbare dramatisierende
Wendungen in Richtung hyperventilierender
Gemütszustände. Folgendes Beispiel legt
minutiös dar, was - weit über Las Palmas
hinaus – damit gemeint ist.

Enttäuschte Mienen zieren den Pool,
trug man ihnen fort, den Sonnenstuhl.

Hier spürt man zwar unmittelbar die tiefest
erlittene Zurücksetzung der schnöden
gefoppten Brätlinge. Ob aber diese Einlassung
zur Auflockerung, gar zur Sublimierung meines
Bestsellers beiträgt ... Zu negativ das alles.
Diese von der Hotelleitung angeordnete,
zumindest aber gebilligte Missetat ist zwar
misslich, sollte aber nicht allzu verdrießlich
machen. Nicht auszudenken, spröngen die
Unbilden der bitter erlittenen
Touristenenttäuschung auf meine
Ausführungen über ...

Vielleicht aber entgeistert ausgerechnet das lyrische Stilmittel der Gehässigkeit – ein Versuch:

Perlhuhn, Schnepfen und Kapaune
haben selten viel zu tun.
Lehnen faul an einem Zaune,
pfeifen frech nach einem Huhn.

Ist zwar fleißig, wie 'ne Biene,
doch versteht es nicht zu leben.
Schwupps, schon liegt 's in der Terrine,
bald wird's was zu futtern geben.

Schon besser, aber ausgedrückt werden sollte, dass sie lediglich einem Huhn nachpfeifen, es also nur anpfeifen wollen, im Sinne etwa von „Hallo! Sie, mein liebes Hühnchen, Sie sind aber fesch, so drehen Sie doch einmal bei, gar allerliebst, Ihr volles Brustbild! Kommen Sie! Wir laden Sie zu einem Spiel ein. Zu einem Viererskat, wenn Sie mögen."

Keinesfalls wollten die Drei eine Bestellung aufgeben, wie etwa „Liebste Freundin, in unserem Kochtopf ist noch reichlich Platz". Hier fehlt ja jedwede, lebensbejahende Zukunftsorientierung. Und weiter … Das war ja nur ein Spaß, meine, dichterische Freiheit.

Indes ist der Gedanke nicht von der Hand zu weisen, dass die Wucht dieses Frevels den Leser entsetzt zurücklässt. Entschieden zu weit hatte ich mich in den Raum vermeintlich spielerischen Dichtens hineinbegeben. Die Irritation wäre perfekt. Statt einen Viererskat zu dreschen, bekommen die drei Pfeifen nun ihre Angebetene gebraten vorgesetzt.

Unpassend, misslich, peinlich, doch hoffentlich
- schmackhaft.

Folgender Reim lehrt auch so nebenbei, wie
tödlich Lyrik sein kann, vor allem, wenn sie als
Bratlyrik dramatisch daher trabt, bestenfalls
gutzumachen durch ein
Wiedergutmachungsgedicht:

Zarte, stolze, Schnepfe, mein,
lasse mich dein Perlhuhn sein.

Träum' von mir als deinem Huhn,
wirf mich in den Kochtopf nun.

Werde nur dein Antlitz schau'n.
auch als garender Kapaun,

Hauptsache, wir sind vereint,
wenn auch reichlich ausgebeint.

Also wenn schon humorlos, dann aber eher
subtil, mit einem positiv nachhallenden Effekt,
wie etwa

Tristesse fährt arg in unsre Knochen
- Novembers kalter Klammergriff.
Nur dünne Suppen gab's zu kochen.
Der Sturm durch alle Ritzen pfiff.

Doch dann erheischt uns das Erbarmen!
Der Opa stirbt den plötzlich tot.
Wir sind nicht mehr die Bettelarmen.
Die Erbschaft riss uns aus der Not!

Ein toter Opa befreit seine Nachkommen von
Elend und Not. Mit dieser Pietätlosigkeit wird
klar eine rote Linie überschritten. Und nur um

190

diesen Fallstrick deutlich zu markieren, wurde
dieses taktlose Eingepflecht zur Abschreckung
wiedergegeben.

Gleiches gilt für dramatisierende Einschübe
nachstehender Couleur.

‚Sag doch mal was Positives!
Schau, wie's bunte Vöglein fliegt.
Immer denkst du nur an Tristes,
wüsste gern, woran das liegt, usw.

oder Reime mit Zweideutigkeiten andeutendem
Hintergrund a la

Hoch am Strauche hängt Holunder,
liebste hole ihn mir runter …

sind allertunlichst zu unterlassen. Schon der
vage Gedanke an auch nur eine Variante eines
möglichen Fortgangs dieser beiden Reimrümpfe
- wahlweise auch Dumpfreime - könnte den
Bücherfreund schreckensstarr sich selbst
überlassend, zurücklassen.
Schreibverweigernde Schauder ermächtigen
sich meiner Feder Kiels.

Vollständigkeitshalber sei darauf hingewiesen.
Alle danebengeratenen Auftragstexte können
mit allen Insignien einer alles vernichtenden
Selbstauflösung versehen sein …

Säg, Müller, säg.
Es wackelt schon der Steg.

Will ein Kunde ihn betreten,
sollt' er erst zum Herrgott beten.
Sägmüller, säg.

Eine weitere Gefahr ablehnungsorientierter Zurückweisung droht auch von den gefürchteten Viellesern, die mit hoher Merkfähigkeit und starkem Durchhaltevermögen ausgestattet sind. Leseprofis also, die nicht so leicht aufgeben, gerade dann nicht, wenn sie ahnen, wittern oder vermuten, dass es wohl keinen Sinn macht, weiterzulesen. Ihre Gefährlichkeit liegt auch nicht an deren grundsätzlich zersetzender Absicht - eher im Gegenteil. Sie greifen sich wohlgemut ein Werk, mein Werk, stellen aber kürzest fest, dass da nichts ist außer Buchstaben. Nichts ist, weil nie etwas war und nichts mehr kommen wird. Ihnen gelingt es, mittels Sublimation den unerfahrenen Literaten zu geben, eingeschlichen im Gewand eines tumben, unkundigen, zufälligen Seltenheitslesers. Ein Mutant, den Eindruck zu erwecken versuchend, voller Elan Texte aufzusaugen.

Der Vorteil: Der Virtuose, also ich, würde versuchen, diese Gestalten mit gezogenen Beiträgen zu überziehen, um sie zu erziehen, sie tiefer und tiefer in des Meisters Aura zu versenken. Besonders ideal wäre, führte ihre Erziehung zu deren unwiderstehlichem Wunsch und Drang, auch räumlich zusammenzuziehen. Erst in einen Fan Blog hinein, dann in einen Wohnblock, alles abblockend, was ihre durch den Autor, also mich, gewonnenen Erkenntnisse blockieren könnte. So wären sie besser zu kontrollieren und mit textbasierten Zufallsgeneratoren so lange hinzuhalten, bis meiner Feder wieder Originelles entkleckste.

Was fremd war, ist oder bleibt, wirft den Autor weit zurück, ein Phänomen, das bis dato auch die Forschung nur teilweise erschlossen hat. Nur bis zu 10 Prozent der Hirnmasse, so der der Stand gesicherter Wissenschaft, ist bei aktuellen Denkvorgängen gleichzeitig aktiv. Nicht auszudenken, was aus dem Autor noch alles heraussprudeln würde, erschlössen sich nur mir ein kleiner Bruchteil der 'restlichen' 90 Prozent. So aber erschließt sich ihrer Forschung bislang nur ein sehr begrenztes Hirnpotenzial, mit dem sie sich offenbar zu begnügen scheinen, denn sie fassen das bündig in der kecken Bemerkung zusammen: Das reicht für unser Dasein!

Es gibt aber noch eine weitere Steigerung höchster Bedrängnis des Autors: Das sichere Wissen um die Komplexität des Unvermögens seiner Leser. Der Brillierende ist versucht, an dieser Stelle mit Blick auf das befürchtete ´Niveau´ seiner Kunden einem dem angelsächsischen entliehenen Begriff Extraordinary ausnahmsweise einmal seine wörtlich übersetzte deutsche Bedeutung zu belassen, Denn flacher als mit ‚extra ordinär' kann geistiger Absentismus nicht umschrieben werden, bestenfalls noch mit einem weiteren Anglizismus wie etwa simple, also, der Simpel und die Simpelin, die Spinner eben, während das ebenfalls britische Spin off genau das Gegenteil von blöd bedeutet, gewissermaßen ein abgeschaltetes Spinnen meint.

Was bleibt, ist eine kritische Reflexion. Doch nicht etwa über den als unvermögend längst entlarvten Leser. Oh nein! Dies wäre ein betrübliches Missverständnis. Denn jetzt, jetzt endlich, ist der Autor auch einmal an der Reihe! Doch welcher Reihe? Wo einreihen, in welche Reihe? Am Ende auch noch eingliedern, sich, also einzwängen lassen müssen als ein Glied unter Gliedern, in einer Endloskette gar, unidentifizierbar, gleichgemacht?! Das ist eines höchstwertigen Autors Sache nicht!

Daher gilt Unisono, ex ante, a priori, per se, pro toto und ex Libri: Der Leser wird nichts verstehen von dem, was einst ich glaubte für ihn zu kreieren im Stande sein zu dürfen könnte, sollte oder müsste. Gebricht es ihm doch an jenem so wertvollen Gespür für den Wert und die Wirkmechanismen meines Oeuvres. Möge sich ihm doch – bitte bitterlichst herbeigesehnt - wenigstens bestenfalls Fragmentarisches erschließen. befürchtungsvermutet bleibt er indes zurückgeworfen, verharrend auf undefinierter Ebene eines bloßen Buchstabenbetrachters, unfähig, das Gelesene, etwa in Pausengesprächen oder anlässlich einer Dichterlesung, plaudernd zu rekapitulieren, geschweige denn reflektorisch angereichert weiter zu entwickeln. Für ihn sind literarische Darlegungen schlicht nicht bewertbar, weil unzugänglich - und somit - wertlos. Unüberwindlich der Abstand von dümpelnder Deichsel zum davonbrausenden litturbinen Bollerwagen. Und was hat man nicht alles versucht – doch er kapiert es nicht. Er kann es nicht, will es nicht, wird es auch nicht und soll es auch nicht! Denn wenn er sowieso mein Buch nicht kauft, gerade auch, weil es noch nicht geschrieben ist, braucht er es auch nicht zu verstehen.

194

Selbst wenn er sich stets bemühte, bliebe er doch nur ein Betrachter, bestenfalls, ja allerbestenfalls, ein Bewunderer von Buchrücken. Denn Rücken betrachten, das kann er. Weil er sonst im Leben wahrscheinlich auch meist hinten steht, vor sich immer nur Rücken, entwickelt er hoffentlich einen Blick auf all die schönen Rücken vor ihm, insofern, und gerne auch, Buchrücken.

Schlägt er dennoch versehentlich ein Buch auf, mag er sich erbauen am schönen ü und am h, das kecke Ypsilon beäugt er ausdauernd und von allen Seiten, beim T fällt ihm eventuell noch ein amerikanisches Rindersteak ein. Gleichwohl: den Wert dramaturgisch gedehnter und kunstvoll lyrisch gestreckte Passagen bleiben ihm verschlossen. Pisa-Studie hin, Bologna Beschlüsse her.

Auch ahnt er ja nicht, dass es zu keinem Zeitpunkt in seinem Ermessen lag, ja liegen durfte, wie ein Buchstabe, ein Wort, Wortkombinationen, Halbsätze, vor allem aber ganze Sätze, Absätze, Kapitel, Bücher, Epen, Dramen, Brockhausens, Britannicas und Wikipedias zu betonen sind, wenn man denn Hörbücher für ihn fabrizieren wollte.

Facebookjales Getwitter a la StudiVZ sowie alle weiteren Etceteras ähnlicher Provenienz sind keinesfalls in Anschlag zu bringen!

Außerdem enthalten meine Episteln entschieden zu viele Wörter. Nicht selten drängt gerade dieser Umstand den machtlos Schmachtenden scheinalternativ zum hurtigen Konsum von Exzerpten, Prologen, Fazits,

Postskriptici und Summary's, Geleit- und
Vorwörtern, schließlich Epilogen, Zitaten und
Danksagungen, wobei gerade Danksagungen
und vor allem Widmungen eine ganz eigene
literarische Kategorie bilden, die zu würdigen
dem Prosaisten, also mir, eins ums andere Mal
einfach die Zeit fehlt. Texte, länger als
maximal fünf Sätze, wirken auf den
Hetzlechzenden unerträglich. Das zeitigt
dramatisch verheerende Folgen. Zunächst
schlägt er die Frau, sie zurück, dazwischen die
Kinder, weit und breit keine Nanny, na super!
Und wer ist schuld? Tja eben - ich jedenfalls
nicht!

Auf Urteile wie etwa „zu Flach das Ganze" oder
dessen Gegenteil „zu holp- und sperrig", kann
der Schöpfer, also ich, verzichten. Und weil
diese Minityrannen unfähig sind, Rhythmen,
Tempi, Tremmilie, Diphtongilie und
Dramaturgilie angemessen
auseinanderzuhalten, sie abwiegend gekonnt
einzuschätzen, wird sich der Mann der Feder,
bin all hier, nicht länger verbiegen lassen und -
verzichtet!

Jawohl! Der Wurm – Pardon – der
Bücherwurm, gerne auch die Ratte – Pardon –
die Leseratte, ist fern zu halten von jeglicher
Überforderung. Dem Eingebildeten ist aus
gesundheitlichen Gründen jedwedes Lesen
vorzuenthalten. Zu unwägbar. 'Tod eines
Lesers durch Literaturgenuss' wären tägliche
Überschriften in alltäglichen Zeitungen.
Headlines solch absonderlicher Art empfinde
ich als äußerst entbehrlich! Eine Rufschädigung
des Begnadesten, daselbst, stünde
verdammnisgerichtet zu befürchten.
196

Nach umfassender Abwägung des gesamten Imponderabilienkanons muss die Entscheidung klar lauten: Mein ungeschriebenes Buch ist vor dem Leser zu schützen! Die leeren Seiten sind - tresoral gesichert – einschweißumhüllt zu verkapseln. Bereits Angedachtes ist einzustampfen! Dem undankbaren, verständnislosen Frustmarkt werde ich mich keinesfalls ausliefern. Ich nicht, mich nicht und mein Werk schon gar nicht …

Ich, also der Essayist, Lyriker und Romancier, fühle mich über die getroffene Entscheidung in einer Weise beflügelt, die dem Börsenverein des Deutschen Buchhandels dringend nahelegt, den Davonzuschwebenden, also mich, notfalls mit Gewalt am Abheben zu hindern, will er, der Börsenverein, nicht in Regress genommen werden. Von wem? Das wissen glücklicherweise nur die Götter – und ich natürlich.

Der Oeuvrist, voll da, ist aber nicht nur erleichtert, sondern auch Stolz auf die fürsorglichen und sozialen Auswirkungen seiner Entscheidung. Das war ihm bei seiner ersten Würdigung aller Umstände zunächst verborgen geblieben. Enthält er dem unmündigen Leser doch ein ungeschriebenes Buch vor – ein selten selbstloser Akt reinsten Konsumenten- und Umweltschutzes!

Und nebenbei löste sich ein weiteres Problem - das meines mich wahrscheinlich zu Tode quetschenden Reichtums.

Und noch eins - die Hybris! Wer, also ich, die Hybris in sich selbst nicht nur bekämpft, sondern sie sogar besiegt, in dem er sein zentrales, epochales Werk freiwillig der Welt entzieht, der darf dereinst auch in freudigster Erregung eines ihn ins Paradies seines Richters aufnehmendes Urteil entgegen demütigen … Indes und aber auch – wer sich dehnt bleibt nicht notwendigerweise auf immer gestreckt …

Wie man es auch dreht. Es bleibt dabei. Die Gewissheit kulminiert im Imperativ:

Tue-es-nicht!

Nur im Verzicht liegt die reinste Form selbstloser Größe!

Geglückt! Mein Sprung an die Spitze der Weltliteratur war aufwandslos geglückt! Ohne das Verfassen auch nur einer Zeile zirpte ich, aus dem Stand heraus, vertikal ausbalanciert, in den Kosmos, kreierte majestätische Loopings, immer neue Horizonte erblickend, natürlich unerreichbar über den sogenannten Köpfen selbsternannter Kollegen.

Und auch mein nächstes Epochalwerk ist in Arbeit, konzipiert fürs Erste auf ca. 8000 Seiten. Arbeitstitel: Mensch Mischling. Ob es zustande kommt bleibt ungewiss, denn leider ist kein einziger Mensch kein Mischling. Wahrscheinlich erspart mir diese allzu schlichte Erkenntnis das Beschriften der angedachten Seitenzahl. Sollens die andern versuchen. Die aber warne ich schon jetzt. Wer versuchten sollte, denn Mischling Mensch als ungemischt darzustellen, den erkläre ich für krank. Für einen kranken Mischling eben. Was es nicht alles zu bedenken gibt …

Für völlig unsinnige Erklärungsversuche ist mir jedenfalls meine Zeit zu schade. Meine Feder bleibt unbetintet ...

Tja, und schließlich der Börsenverein, diese Unglücksrabeneinrichtung. Er hatte ein Nanomomentum nicht aufgepasst. Und schon war es passiert. Ich schwirrte - für jedes irdische Auge unsichtbar und im saturierten Modus künftiger Unsterblichkeit – nur knapp unterhalb der Sonne, den Mars immer wieder einmal leicht touchierend, nun also doch und bitterlich beklagt, aber immerhin Schwarz-Rot-Gold sonnflambiert, meiner Sterblichkeit entgegen.

Göte

An Goethe haben sich viele versucht.
Wahrscheinlich haben die meisten geflucht

Das fängt doch schon bei seinem Namen an.
‚Von Goethe', oe, und th – welch ein
Schmarrn.

Besonders das ‚von' sorgt für große DIstanz.
Sich Goethe zu nähern, das schafft niemand
ganz.

Mit manchen Texten, die er uns bescherte,
er Ratlosigkeit, statt das Wissen vermehrte.

Sein Werk ist gewaltig, auch Ehrfurcht
einflößend.
Verehrer verneigen sich, Häupter entblößend.

Die Lehre der Farben, sein Wissen um
Pflanzen,
nur Teil seines Genius, des Großen und
Ganzen.

Geheimrat, Minister und Damengeschichten.
Und zwischendurch immer mal Richten und
Dichten.

Man fragt sich, wie soll denn die Welt Ihn
versteh'n.
Vielleicht war sein Leben ja nur ein Verseh'n …

Bettelmännchen
Die Ratte kauert vor der kalkweißen Madonna.
Ungewöhnlich. Das tat sie sonst nie. Hat sie
einen besonderen Anlass für dieses Gebaren?
Sie schien sogar zu ihr aufzuschauen – aus
gutem Grund ...
Die Heiligenfigur knappert an einem Keks. Den
hat ein vorbeifliegender Rabe fallen gelassen.
Der Pflückebeutel konnte den Keks nicht
ausbalancieren. Wegen dessen bröselnder
Konsistenz. Die Ratte rätselt. Sie kann die
Scene nicht recht deuten – seltsam ... Auch
stand die Geweihte gestern noch im Windfang
des linken Villenflügels, dort, wo sie immer
thronte, auf einem schwarzen, polierten
Marmorsockel.

Doch nun steht sie im Freien, dazu noch an
einem Keks nagend, vor allem aber –
entsockelt. Das lässt sie deutlich kleiner
erscheinen. Eine Chance, witterte die Ratte. Oh
wie willkommen, diese Distanzminimierung,
vom Keks zu mir.

Dolores, so wurde die Rättin von ihrer
Besitzerin gerufen, bleibt irritiert. Bisher hatte
diese bleiche Figur noch nie etwas verzehrt.
Das wäre ihr aufgefallen. Und vor allem ihrer
Schwester Felicitas, verfressen, wie die war.

Zunächst nur umkreist und belauert Dolores
die Speisende. Und während sie sinnierend
kauert und lauert, erklärt sie das
Zusammentreffen zu einer Art bizarrer
Konstellation zu ihrem persönlichen,
kulinarischen, Glücksfall. Offensichtlich war es
auch einer Madonna nicht gegeben, ein
Knappergebäck krümelfrei zu vertilgen.

Dolores sprach sich Mut zu. Sie wollte den ganzen Keks! Nur für Krümel braucht eine selbstbewusste Rättin keinesfalls ein bettelnd` Männchen zu machen! Auch nicht vor dieser Gebenedeiten! Wenn überhaupt - dann bestenfalls – notfalls ...

Doch der Notfall wird nicht eintreten! Dieser Misslichkeit weiß das erfahrene Rallenweib vorzubeugen – mittels umsichtigster Vorbereitung. Aus diesem Grund fleht sie darum, ihre verfressene Schwester möge doch bitte jetzt nicht ahnungslos um die Ecke schnüffeln, gerade jetzt, in diesem Moment höchster Anspannung.

Schnuppernd und äugend bezieht Dolores Position. Hoch konzentriert, Zähne, Pfötchen und der überlange Schwanz – alles wohl gerichtet. Als natürliche Gottlose plagt sie keinerlei Gewissen. Gewissen? Gewissen kennt sie nur in Verbindung mit gewissenhaft. Gewissenhaftigkeit und Präzision! Beides musste zusammenkommen - bei der Anbahnung und Ausführung des geplanten Frevels. Nichts darf ihren Plan gefährden – gar seine Ausführung vereiteln. Und mit zwei, drei geschickten Schikanen bespringt Dolores die Göttliche und - entkekst sie! Ah! Welch ein Genuss! Vor ihren schwarzen Äugelein blinken schon die Riesenlettern der Boulevardpresse auf:

Flattriger Rabe, ernährt Ratte - aus heiliger Hand!

Welch erhabener Augenblick! Dolores ist gerührt. Sie fühlt sich umspült von ihrem sie

202

lauwarm umhüllenden Tränenbad, quellend aus tiefster, innerer Erschütterung, und sie spürt, ist gar gewiss:

Sie ist Zeugin, ja Urheberin, gar erste Apostolin einer neuen Universalphilosophie, der - des Ratttheismus.

Ansage
Stille, Einkehr, Demut, Muße.
Nutzt den Dom - zu tiefer Buße.

Kniehet nieder. Betet laut.
Dass mir Keiner Gummi kaut,
gar die Andachtskerzen klaut …

Wehe, wer am Messwein nippt,
ihn womöglich runter kippt …

Nehmt die Hände aus den Hosen.
Sammelt lieber für Almosen.

Heiland, schau auf diese Schande.
Vor dir, die Jesuitenbande.

NATO!

Jeder kennt das. Noch ist ein Rest Tee in der Kanne, man gießt ihn in seine Tasse und hofft, der noch vorhandene Tasseninhalt plus Kannenrest möge die Tasse nicht zum Überlaufen bringen. Der Tee läuft. Der Spiegel steigt. Der Tee, er läuft, er läuft länger, als erwartet. Der Füllstand droht, die Anstandslinie zu überpegeln. Jetzt müsste die Kanne doch leer sein. Indes, der Tee - läuft – weiter ...

Ich kenne doch meine Kanne! Die ich seit Jahren benutze! Ich hab' doch nur die Eine. Die wurde doch immer leer, rechtzeitig, bei diesem Spielchen. Zwar füllte sich meine Tasse bisweilen dermaßen, dass ich sie nicht mehr zum Mund führen konnte, ohne dabei etwas zu verschütten, randvoll, wie die dann war. Dann trotze sie mir frech ein Abschlürfen ab. Aber sie lief nicht über!

Doch diesmal, und ausgerechnet jetzt, wo Besuch da ist, spielt sie nicht mit, richtet sich trotzig gegen mich. Na warte …
Der Herr Vermieter will irgendwas. Ich hatte ihn hereingebeten. Jetzt sitzt er da und glotzt blöd! Der muss mich für bekloppt halten. Tut er sowieso schon. Und ich Heini liefere ihm jetzt noch den Beweis, mit meinem völlig überflüssigen (huch?) Zweikampf.

Was hat mich nur geritten, in seiner Gegenwart mein Teekannenexperiment zu starten? Und vor seinen Augen eine Niederlage zu riskieren? Wenn der doch nicht so mitleidig und von oben herab beobachtete! Peinlich, blöd, vor allem aber - unnötig.

Ich verlegte mich auf Zeitgewinn. Hierzu verflachte ich den Eingießwinkel und konnte so wenigstens die Fließgeschwindigkeit verringern, dabei versuchend, den Herren Ungebeten frech anzugrinsen.

Ich zieh das jetzt durch! Noch ist nichts verloren, solange wenigstens nichts übergeschwappt.

Es ist ein Kampf. Ein leiser, mittlerweile verbissen geführter Kampf. Ich gegen die Restmenge. Ein verbitterter Kampf, gegen bitteren Tee. Was mag die Kanne geritten haben, mir ausgerechnet jetzt den Dienst...jawohl, den Dienst ...

Oder sollte ich eine größere Tasse, ein Versehen, eine Verwechslung vielleicht, beim gedankenlosen Griff in den Geschirrschrank, eventuell, vielleicht, gegriffen haben? Doch der Herr Hausbesitzer tut mir den ersehnten Gefallen nicht. Einfach mal aufstehen, dabei ungeschickt an das kleine Wackeltischlein geraten, auf dem sich mein Drama gerade abspielt und – schwapps – und ach, das tut mir nun aber leid ...

Verzweifelt flüchtete ich ins Philosophische. Weiß die Kanne um diesen Kampf? Nach Spinoza müsste sie es wissen. Nach seiner Überzeugung ist Gott in den Dingen und nicht über ihnen – also ist er auch in der Kanne - allerdings auch in der Tasse - und im Tee, doch leider, leider, leider grade eben mal nicht in mir. Sondern noch eher und womöglich in diesem Halsabschneider. Ach, ist das ein

Kreuz, wenn die Philosophie nur den andern dient.

Bertolt Brecht schoss mir durch den Kopf, mit seiner legendären Frage, ob denn den Fischen die Termine der Fischer bekannt waren. Genau! Warum weiß denn die Tasse nichts um die Restmenge in der Kanne? Oder - was dachten die cervantischen Windmühlenflügel über die Attacken des Herren Panza? Wussten die Urnen um die Wahlausgänge - oder wess' Asche sie bergen?

Über Jahre hinweg hatte ich doch ein Gespür entwickelt - für das Volumen der Restmenge. Und nun das! Aber auch keine einzige dieser Weisheiten half mir aus meiner selbst eingebrockten Patsche! Und nun stehe ich kurz vor der Patsche. Lass noch den Tee überlaufen, und das Schokoblättchen brühwarm umspülen. Lecke frech die Flüssigschokolade vom Teller und trällere ‚Das macht man heute so'. Nein! Es hilft nichts. Alle haben kläglich versagt. Ich, die Kanne die Tasse und irgendwie auch die zitierten Philosophen Dramaturgen und Schriftsteller schöngeistiger Anmutung.

Wenn ich jetzt den Gießvorgang unterbreche, so mein Orakel, und in die Kanne hineinschaue, habe ich das Spiel verloren! Definitiv. Entweder ist noch so viel Tee in der Kanne, dass die Tasse übergelaufen wäre. Dann hätte ich sowieso verloren. Oder aber, sie enthielte nur noch wenige Tropfen, die beim Weitergießen nicht zum Überlaufen der Tasse geführt hätten. Dies würde zwar meinen Sieg bedeuten. Doch mit dem Lüpfen des Kannendeckelchens

blamierte ich mich weit tiefer als bis in die so
bekannten Knochen ...

Gleichwohl - der Tee - er läuft - weiter. Zwar
hat sich das Laufen zu einem tröpfeln
verlangsamt. Aber immer noch kommt etwas.
Während die Tasse allerdings dabei leider nicht
größer wird. Wäre ich doch nur Richter oder
Staatsanwalt! Ich würde zumindest versucht
haben wollen, das Überlaufen per Eilverfügung
zu stoppen, oder hätte schleunigst ein
Grundsatzurteil erwirkt, das die
Einvernehmlichkeit von Restmenge und
Tassenvolumen erzwingt.

Und nur so nebenbei. Das
Teetassenüberlaufverbot gehört im
Grundgesetz verankert - und abschließend in
der Verfassung geregelt! Eindringlichst ist
darauf zu achten, dass die Abstimmung den
Bundestag aalglatt passiert. Notfalls wären
Debatten egozentriert zu manipulieren ...

Ich wähne mich unsäglich einsam. Für Alles
und Jedes gibt es Ausschüsse, bäume ich mich
auf, Hilfsorganisationen, Quoten, Ethikräte,
Richtlinien, Nobelpreise, Ehrennadeln, etc.
Doch so, wie hier die Dinge liegen, wird all das
viel zu lange dauern, um noch rechtzeitig eine
entscheidende Wirkung im Sinne meines
Sieges im Echtzeit-Fall zu entfalten. Ich sehe
nur noch einen Ausweg. Dieses Ereignis zerre
ich vor den NATO-Rat, ersatzweise vor den
Weltsicherheitsrat! Keinesfalls aber lasse ich
mich – auch noch in Gegenwart eines ‚Herren'
Sonstwoher – von einem Teekannenrest
vorführen!

T3

Willst du heut kein Ei mir kochen?
Fragt von Goethe, blass, erschrocken,

eine Magd seines Gesindes.
Hast du keins, so such eins, find es!

Kann sonst keine Reime formen,
bei dem Hunger, dem enormen,

der sich mir beim Reimen zeigt.
Verse werden wüst vergeigt!

Doch weil die Maid kein Ei ihm fand,
hat Dichter Goethe sie verbannt.

Er suchte lang und fand 'ne Neue,
sie war sehr herb, doch wirklich treue,

die nun das Ei ihm mächtig rührte.
Dem Hofrat 's fast die Luft abschnürte.

So hat die Magd - ganz unverhohlen -
sich dem Geheimrat warm empfohlen.

Hochlobend wird er sie erwähnen.
In Faust, Teil III – Nur Eier zählen!

Krampfschmerz

Ich krallte mich zu sehr an mein Publikum.
Freche Behauptung! Blödmann!
Straßenpassanten sind doch kein Publikum.
Wie kommt der zu dieser abwegigen
Einschätzung? Das sind nur irgendwelche
Leute, unterwegs, Besorgungen machen.
Gewiss, wenn ich jemandem begegne, den ich
vom Sehen her kenne, vielleicht ein Nachbar,
so grüße ich ihn, doch nur mit einem flüchtigen
Kopfnicken. Das aber ist doch kein Festkrallen,
ein leichtes Nicken, nicht einmal eine
Verbeugung andeutend. Festkrallen, noch dazu
an einem ‚Publikum'. Und wen bitte genau
meint er mit Publikum? Dazu noch ‚mein'
Publikum? Was mag nur in einem Kopf
umgehen, eine banale, flüchtige Begegnung
und einen mit ihr verbundenem, gehauchten
Gruß, als ‚festkrallen am Publikum' zu deuten?

Die Absurdität dieser Bemerkung wird einem
erst klar bei ihrer Umkehrung, etwa ich wäre
nicht unterwegs, träfe niemanden und grüßte
daher auch nicht! Ich wäre auf der Flucht vor
einer nicht stattgefundenen Begegnung mit
Leuten, die ich nicht suchte - schon gar nicht
als mein Publikum. Und festkrallen? Anstelle
einer festkrallenden Arm- und Handstellung
müsste ich meine Arme weit hinter meinen
Rücken zurückreißen - mit bis zum
Krampfschmerz geöffneten Händen, etwa so,
dass sich die Finger überbögen und die
Handflächen weiß würden, weiß in
Ermangelung fließenden Blutes,
zurückgedrängt in tiefer gelegenen Adern?

Indes kann ich mir denken, was seine
deplatzierte Bemerkung ausgelöst haben

210

könnte. Er trug nach langer Zeit wieder einmal seinen grünen Rock ...

Tresen

Ich lehne träg am Tresenrand
und gähne ins Lokal.
Mein Blick streift die Vitrinenwand.
Das Bier schmeckt lau und schal.

Die Luft, verquirlt durch Rotation,
gleichwohl bleibt's stickig, warm.
Ein Radio dudelt monoton.
Am Ecktisch sitzt mein Schwarm.

Ein Neonlicht erhellt den Raum
und macht die Augen müde.
Das Fräulein scheint nicht abgeneigt,
doch leider bin ich prüde.

Der Kellner spült zwei Gläser ab,
und stellt sie auf's Tablett.
Die Kundschaft hält ihn nicht auf Trab.
Er freut sich auf sein Bett.

Ein Martinshorn schwillt nahend an
und kündet laut von Not.
Wir blicken stumm uns fragend an.
Leben oder Tod?

Das geht nun schon Jahrein, Jahraus,
in immer gleichem Trott.
Der Wirt löscht bald die Lichter aus.
Hier wird's nie polyglott.

Torbogen

Wie lange mochte ich dort gestanden haben?
Erst wollte ich mich nur abkühlen, raus aus der
mittlerweile sengenden Sonne! Denn der
Stadtbummel zog sich gegen meinen Plan dann
doch bis in den frühen Nachmittag hinein und
setzte mir jetzt ordentlich zu. Ich war das
Opfer meiner Trödelei geworden. Statt meinem
Zeitplan zu folgen, verschlenderte ich mich
durch Gassen, deren Attraktivität mir der
Stadtplan vorenthalten hatte und ich sie
deshalb nicht einkalkulieren konnte. Ich
haderte mit meinem offensichtlich reduzierten
Vorstellungsvermögen, denn schon mehrmals
war es mir passiert, mich durch
Unvorhergesehenes zu Abweichungen meiner
Vorhaben manövriert zu lassen. Zwar bin ich
auch heute wieder beizeiten gestartet, früh, als
es noch kühl war. Hatte auch überschlagen,
wie lange die Tour wohl dauern würde. Und als
Stadtmensch kannte ich mich aus mit dem
Abwandern von Häuserzeilen, parkähnlichen
Einfriedungen und Plätzen, die zum Verweilen
einluden. Ungern ließ ich Straßencafés aus.
Trubel störte mich nur dann, wenn er nicht von
mir kam oder ich nur wenig Zeit hatte, meine
Umwelt von einem Bistrostuhl aus beobachtend
auf mich wirken lassen zu können.

Schaufenster schauten mich an, einige
jedenfalls, dann ich sie. Dabei achtete ich,
einer Marotte folgend, nicht nur auf die
Auslagen, sondern beurteilte auch die Art ihrer
Präsentation. So erschloss ich mir besser ein
Gesamtbild des Dargeboten über bloße
Preisvergleiche oder Designdetails hinaus.

Aufregen konnte ich mich immer wieder über achtlose oder unprofessionelle Fenstergestaltung. Da wurde Platz verschenkt. Da kamen hübsche Einzelstücke nicht zur Geltung wegen des allgemeinen Gedränges zu vieler Schaugegenstände. Missratene Beleuchtung warf buchstäblich ein schräges Licht auf die Auslagen. Da wurden Gestaltungsgeometrien nicht eingehalten oder Farbkombinationen drohten, mein Sehvermögen auf immer zu trüben. Ganz zu schweigen von den toten Fliegen, die schon seit längerem zahlreich am selben Platz gelegen haben mussten, ausgesogen von einer Spinne, deren Netze ebenso lange verschiedene Winkel des Schaufensters wie mit feinster Seide drapierten. Sonneneinstrahlung tat ein Übriges. Und so konnte ich mich wunderbar und künstlich echauffieren, wenn sonst keine Ereignisse stattfanden, die unterwegs meine Aufmerksamkeit auf sich zogen. Ich brauche diese Aufregung gelegentlich - zu therapeutischen Zwecken. Sie regt meinen Kreislauf an, der notorisch in Schwung zu halten war.

Da stand ich nun unter dem Torbogen, der Schatten spendete, und der einen weiteren Nutzen bot. Es zog. Wenigsten ein wenig. Warmer, fasst heißer Wind kanalisierte sich durch diesen etwa zwölf Meter tiefen Torbogen, - er hatte exakt die Tiefe des Gebäudes, das über ihm lag - und blies, mehr als das er fächelte, immerhin teilweise den Schweiß von meinem Körper. Auch verdünnte er den Markierungsgestank eines Katers. Beim Umdrehen blickte ich außerdem auf einen Hundehaufen, schräg hinter mir, der, vor sich

214

hin skelettierend, zusammenschrumpfte, aber nicht mehr stank. Mein leises Seufzen über diese mitgelieferten Umstände meiner schattigen Bleibe verwandelte sich in ein Schnaufen, denn Verschnaufen war jetzt oberstes Gebot nach meinem überdehnten Gang. Hin und wieder trank ich schluckweise Orangensaft aus einer Plastikflasche, wobei beide nur noch lauwarm zu haben waren.

Während meine Körpertemperatur gefühlt gleich blieb, und nicht mehr zu steigen schien, wartete ich den nun beginnenden frühen Nachmittag ab und sah mich weiter um. Der Bogen über mir bildete beim Hinausschauen den Rahmen für die geteilten zwei Flügel eines großen Tores. Es stand weit offen, so dass ich von meinem Platz aus die nach außen aufgeschlagenen Torflügel nicht sehen konnte. Nur deren wuchtige Scharniere ragten in die Höhlung des Bogens. Mein Blick fiel auf einen mit abwechselnd hellen und dunklen Steinplatten gepflasterten, runden Platz. Den hatte ich bereits überquert, um zu diesem rettenden Torbogen zu gelangen.

Keine Kreatur hielt sich jetzt da draußen auf. Die Hitze drängte alles Leben in sonnenfreie Unterschlupfe zurück. Im Bereich der Erdgeschosse in einigen der gegenüberliegenden Gebäude kümmerten in unterschiedlich großen Behältnissen einige Pflanzen. In teilweise stark angerosteten Blecheimern oder Dosen fristen sie ein kaum beachtetes Dasein. Auch wenn die Traurigen in diese Gegend passten, hier beheimatet waren, nachmittags wurde ihnen die Grenzen ihrer Belastbarkeit demonstriert. Weder Hunde,

Katzen noch anderes Getier war zu sehen. Sie würden den sonst kahlen Platz bereichert haben. Nicht einmal eine Eidechse lugte aus einem Mauerritz hervor. Und ohne die von kleinen Windböen getriebenen, tanzenden Papierschnipsel, glaubte man das Standbild eines Fernsehbildschirms zu betrachten.

Während ich aus meinem schattigen Winkel heraus in die Gegend blickte, hatte ich auf einmal das Gefühl, nicht in, sondern aus einem Schaufenster heraus zu sehen. Der Torbogen vermittelte den Eindruck räumlicher Geschlossenheit mit einem Erker, der mir den Blick nach außen erlaubte und mir das Gesehene als Auslage vorkam.

Die Anschauungsobjekte bestanden auf einmal aus einer Aneinanderreihung von Häusern mit individuell gestalteten Fassaden. Auch schienen sie aus unterschiedlichen Epochen zu stammen. Keines der Gebäude war beschädigt, bestenfalls in die Jahre gekommen, soweit ich das von hier aus erkennen konnte. Im mittleren Teil der den runden Platz umsäumenden Häuserreihe hatten drei davon arkadenähnliche Einlassungen. Unter ihnen zu erkennen waren im Hintergrund Schaufenster kleinerer Geschäfte.

Um welche Läden es sich handelte, die im Halbdunkel der Arkaden angesiedelt waren, bleibt mir verborgen. Da weder Tische noch Schirme davorstehen und auch keine Bestuhlung zu sehen ist, die auf einen Eissalon oder ein Straßencafé hindeuten könnten, sind das vielleicht Kaufläden für Haushaltwaren, ein Friseur oder Waschsalon vielleicht. Zu diesem

216

Ensemble und in diese Umgegend passten auch Galerien, gerne auch eine Versicherungsfiliale, Apotheke oder eine Zoohandlung. In den darüberliegenden Etagen scheinen Büros untergebracht, und noch weiter oben befinden sich wahrscheinlich Wohnungen, jedenfalls lässt hier und da der Gardinentyp darauf schließen.

Der Umstand, aus einem erdachten Schaufenster heraus in ein ebenfalls gedachtes Schaufenster zu sehen, das dann aber tatsächlich Schaufenster enthält, erscheint mir kurios.

Und obwohl - oder gerade, weil? - die Sonne nahezu alles Leben in meiner Umgebung zum Stillstand bringt, wirkt dieser beschattete Außenblick mit seiner gebotenen Perspektive ordnend, befriedend und somit wohltuend auf mein Befinden. Ich habe gefunden, was ich für den Moment gesucht habe – Siesta ...

Trauer
Herzen streiken,
stolpern, schweigen.

Nebel steigen.
Engel geigen.

Häupter neigen.
Wege zweigen.

Schluss der Reigen.
Trauer zeigen.

Themenwechsel

Ein Freund kauft sich eine Ziege. Warum frage ich.

Bald kommt ein Weltkrieg.

Wieviel kostet das Tier?

Etwas über 100 Euro.

Nur eine Ziege für einen ganzen Weltkrieg?

Ich hab' auch eine Kuh gekauft.

Hast du einen Stall?

Mein Cousin hat acht Kühe. Da stell ich die dazu.

Wer zahlt das Futter?

Der darf mit allen Tieren auf meine Weide.

Meine Kuh gibt 22 Liter am Tag. Die kann er dann behalten oder verkaufen, aber nur, bis der Krieg kommt und ich.

Kauf mir auch eine Ziege. Und auch eine Kuh.

Und ein Schaf, sage ich.

Dafür hat mein Cousin nicht genug Platz. Eine Ziege geht aber noch.

Die soll Manfred heißen.

Aber wenn man die schlachtet, schlachtet man dich. Hab gestern die Manfred geschlachtet heißt's dann.

Was aber soll ich im Dritten Weltkrieg mit nur einer Ziege?

Essen.

Meine Bestellung habe ich dann doch wieder storniert ...

Ziegentrunk
Na, du frecher Bauernknilch,
lebst` wohl nur von Ziegenmilch?

Oh ho, mein Herr, die ist gesund.
Auch macht sie mich nicht ganz so rund

wie feist mich Ihre Wampe düngt.
Die Ziegenmilch mich gar verjüngt.

Du wagst es, mir in dreistem Ton
zu widersprechen, Bauernsohn?

Mein Herr, Sie wissen doch genau,
was ich da sag, ist bauernschlau.

Egal wie lang und laut Sie klagen.
Lasst mich Ihr Gewicht erfragen.

Was ich da sag` ist unerhört.
Ich weiß, dass Sie die Wahrheit stört.

Denn Ihre innerste Souffleuse
sie sondert ab nur dumm Getöse.

Kein forsches Forschen, strenges Suchen,
nach etwas Weisem, etwas Klugem.

Genug! Du dreister Bauernknecht!
Dich biege ich mir jetzt zurecht.

Der Herr holt aus, zu dreistem Schlag,
bog sich zurück, doch dies, zu arg.

Balancelos rutscht er jäh vom Gaul,
kracht geradewegs auf's volle Maul.

Der Knabe lässt den Reiter liegen.

220

War nicht sein Plan, ihn zu verbiegen.

So saugt der freche Bauernbengel,
der Ziege Milch aus Strohhalms Stängel.

Umfriedung

Ich laufe außerhalb einer Umfriedung entlang.
Hinter dem hell wirkenden Holzzaun sehe ich
Menschen, teilweise sitzend auf einer Art
Apfelweingarnitur. Andere laufen umher, wie
ich zu erkennen glaube, zumindest bewegen
sie sich, vielleicht als Bedienstete der
Sitzenden, unendlich langsam.

Alle Personen sind ausnahmslos weiß gekleidet.
Mit weiten Hosen und weiten Gewändern. Am
Ende des Zauns biege ich rechts ab, meinen
Blick immerzu der Gesellschaft zugewandt.
Diese Art Ansammlung ist mir fremd.
Bedrohliches kann ich nicht erkennen. Und
während ich nach dem Abbiegen weiterlaufe
nehme ich war, dass kein Zaun mehr da ist.
Nicht das er plötzlich verschwunden wäre. Er
hat einfach aufgehört, etwa am Ende meiner
Laufrichtung, und erst jetzt habe ich das
bemerkt. Kurz dachte ich darüber nach, dass
hier vielleicht überhaupt kein Zaun vorgesehen
war, der deshalb auch nicht fehlen können.

Einen kurzen Augenblick blieb ich stehen und
schaue mich um. Niemand dieser hell
gewandeten Sommergesellschaft scheint mich
wahrzunehmen. Und tatsächlich. Kein
Teilnehmer richtet seinen Blick auch nur für
Sekunden nach außerhalb des Geländes.

Und ohne lange zu überlegen betrete ich dieses
halboffene Terrain, langsam gehend, mich
immer wieder unaufgeregt weiter umsehend.
Ich gehe eine Art Mittelweg entlang. Der war
breit und sandig. Und auf beiden Seiten stehen
diese Apfelweingarnituren an denen mal mehr,
mal weniger dieser Weißgekleideten sitzen. Mir

ist bewusst, dass ich nicht weiß angezogen bin. Doch Niemand nimmt von mir Notiz.

Nach gut dreißig Metern stehe ich vor einem Gebäude. Das Fundament ist etwa drei Meter hoch gemauert. Unmittelbar darauf aufgesetzt ist ein eher flachgiebeliges Holzdach. Es bringt das Haus auf eine Gesamthöhe von vielleicht fünf Metern.

Ich betrete das Haus und blicke in einen einzigen Raum. Er hat vielleicht eine Grundfläche von fünfzehn mal acht Metern. Beim Blick an die Decke sehe ich unmittelbar das Dachgebälk. Zunächst erscheint der Raum dunkel. Mit der Gewöhnung der Augen hellt er sich auf, aber nur ein wenig. Auch sind die zwei seitlichen Fenster zu klein um mehr Licht hinein zu lassen. Die zweite der beiden vorhandenen Türen befindet sich an der gegenüberliegenden Wand. Sie ist geschlossen.

In diesem Raum befinden sich Gestalten, die ebenfalls ausschließlich weiß gekleidet sind. Und auch sie sind gesichtslos wie die im Garten. Auch sie sitzen auf diesen Garnituren, laufen umher und unterhalten sich. Neben der Tür, durch die ich den Raum betreten hatte, sowie bei der gegenüberliegenden, verschlossenen Tür, sehe ich nun eine weitere, eine dritte Tür. Anfangs hatte ich sie in der Dunkelheit übersehen.

Ich wende mich dieser rechten Tür zu und laufe in ihre Richtung, mit dem Ziel, den Raum wieder zu verlassen. Auf meinem Weg dorthin passiere ich rechter Hand eine Art Tresen. Bei näherem Hinsehen handelte es sich aber nur um die Anmutung eines Tresens. Ihm fehlen die zu einem Ausschank gehörenden Zapfsäulen für Bier oder andere Getränke, nirgends steht ein Glas mit Soleiern, und ein Tablett mit Frikadellen gibt es auch nicht.

Und während ich an diesem Aufbau entlanggehe, in Richtung Ausgang, spricht mich ein Junge an. Der Knabe, er mag etwa zehn Jahre alt sein, steht hinter diesem thekenähnlichen Aufbau und bietet mir ein Getränk an. Ich bejahe erstaunt, und er reicht mir einen Plastikbecher. Ich nehme den Becher, danke ihm und frage nach dem Preis.

Ich könne etwas spenden. Einen festen Preis gäbe es nicht. Ich bedeute ihm, kein Geld dabei zu haben. Er zuckt leicht verlegen seine schmalen Schultern und ich verlasse den Raum, dem Kind noch einmal deutlich dankend. Draußen angelangt erkenne ich die Stelle, an der ich vor etwa zehn Minuten meinen Rundgang begonnen hatte.

Machiavelli
Mauern, Zäune, Erdenwall -
klein zerteilt, der Erdenball.

Das ist mir, und jenes dir!
Du wohnst dort, und ich wohn' hier!

Doch brauch ich was aus deinem Land,
wird es schleunigst überrannt!

Geb mich danach wieder friedlich,
edelmütig, nett, gemütlich.

Adon Siechlahm

Ausgestopfte Ehemänner kommen in der Kriminalliteratur häufig vor. Was Autoren sich da nicht alles ausdenken. Um vor allem zu beschreiben, wie gemordet werden muss. Denn ein optimales Präparat erhält man keinesfalls von einer Wasserleiche, aus den mühsam zusammengesetzten Teilen eines Sprengstoffopfers oder nach ausgedehntem Ringen mit einem Kampfhund. Nein. Der Korpus muss unversehrt und möglichst frisch erhalten sein.

Die Hinterbliebene will ja schließlich ihr gemeucheltes Erinnerungsstück in einem authentischen Zustand erhalten. Am besten wäre eine tussaud'schen Wachsfiguren-Qualität.

Die hohe Ähnlichkeit mit dem Dahingeschiedenen braucht es ebenfalls dringend, will die Witwe doch immer mal wieder ihren Ehemaligen auf- oder sollte man besser sagen – heimsuchen. Nach allem, was dieser Schuft ihr zu Lebzeiten angetan hatte. Sie braucht ihn wehrlos aber authentisch, schweigend auf dem Sofa - sitzend. Ein Spielzeug, das sie je nach Gemütslage unterschiedlichst - und vor allem für sie risikolos - malträtieren konnte.

Doch nicht jede Dame, die sich einen ausgestopften Partner zulegen möchte, ist auch dazu bereit, zunächst den quälenden Umweg über eine sklavische Ehe zu gehen. Sich per Heirat - und mit etwas Pech - über Jahre der Tyrannei eines Angetrauten auszusetzen. Diese

Frauen kaufen sich lieber gleich einen leblosen Lebensgefährten, der optimal zu ihnen passt.

Mittlerweile ist eine ansehnliche, ja wachsende Industrie entstanden, die Lebenspartner in jeder gewünschten Form, Größe und Farbe herstellt. Neuere Exemplare duften sogar. Zum Beispiel nach Veilchen, wenn einem nach kuscheln ist. Oder nach penetrantem Mundgeruch, will sich die Käuferin mal wutmäßig austoben, und hierfür einen ihr-leidgeprüft - bekannten Grund braucht.

Allerdings unterliegen die Ansprüche der Kundinnen auch einem ständigen Wandel. Darauf haben sich die Produzenten einzustellen. Platter Sex allein ist nicht mehr gefragt. Da treten Exemplare etwas in den Hintergrund, die lediglich mit einer Dauererektion aufwarten können oder deren zungenechte Zunge nur eintönig – dazu noch lästig schnurrend – rotiert. Gleiches gilt für belatexte Finger, die zwar flink aber kalt manipulieren. Nein! Der Industriegalan unserer Zeit hat kultiviert zu sein und notfalls vorzeigbar, sollte einmal vergessen worden sein, ihn rechtzeitig wegzuräumen, etwa bei einem Spontanbesuch, etwa von Alice. Außerdem sind auch immer wieder neue Käuferinnenschichten zu erschließen.

Die neuesten Exemplare können mittlerweile reden und sogar singen. Von donnernd über sonor bis piepsig wird eine Stimmenpalette angeboten. Standardtexte und Melodien sind vorinstalliert. Weitere können hinzugefügt werden. Auch ist die Bandbreite der enthaltenen Textmodule mittlerweile sehr beachtlich. Sie reicht vom schmachtenden Säuseln bis hin zur Androhung ehelicher Gewalt, wenn man das auch in dieser Konstellation einmal so sagen darf …

Ist sich beispielsweise die Dame ihrer augenblicklichen Gefühle nicht sicher und schwankt, etwa zwischen der Wahl humoristischer Einlagen oder der Suche nach großem Abenteuer, so empfiehlt der Hersteller die Betätigung der Zufallstaste. Sie ist auf der Rückseite der Puppe angebracht – und je nach Ausführung unter oder über dem Bermudahemd oder der Latexhaut.

Mit dieser Taste sollten Anfängerinnen aber erst mal vorsichtig umgehen. Denn ein zufällig angespielter Text kann mitunter wüste Beschimpfungen auslösen. Darauf sollte die Erwerberin tunlichst gefasst sein. Vor allem aber – wenn dieser Fall denn eintritt, gefasst reagieren …

Handelt es sich um eine männliche Puppe - weibliche Pendants sind schon seit längerem im Handel - kann es passieren, dass der Erworbene etwa folgendermaßen losblafft: „Warum hast du mich gekauft, du Schlampe? Noch ein Wort und ich lang dir eine, dass du den Tag verfluchst, an dem einst du mich erworben!". Einige Texte sind aus einer Fremdsprache übersetzt und neigen in ihrer deutschen Fassung zu ungewollter Komik. Andere wiederum werden als noch bedrohlicher empfunden. In diesem Fall empfiehlt der Hersteller, vor dem Einschalten des Partners das Kabel des Netzsteckers zugbereit um ein Handgelenk zu wickeln, damit es im Falle des

228

Falles schnellstens aus der Dose gezogen werden kann. Das Trennen vom Netz führt augenblicklich zu einer dringend benötigten Beruhigung der bereits entstandenen akuten Bedrohungslage. Denn alle Texte – gerade auch die aggressiven - wirken dermaßen echt, dass schon mal die Nachbarn klopfen können ...

Wie wichtig ein Notfallplan ist, wurde erst kürzlich an einem unsäglichen Fall deutlich, der einer Neubesitzerin widerfahren war. Sie hatte bei einer Freundin deren Eintänzer in Aktion erlebt. Eingeschaltet war der romantische Schmusemodus. Der ganze Raum war erfüllt von geraunten Komplimenten, schmachtenden Lobpreisungen, verführerischen Lockrufen und verströmten Lockstoffen. Auch hatte die Besitzerin ihrem nur dürftig bekleideten Elektromöbel ihren Kosenamen einprogrammiert - aus Gründen einer erotischen Stimmungsoptimierung, wie es im Polizeibericht hieß. Gisela, so der eigentliche Vorname der Freundin, wollte sich mit einem sehnsüchtig hingehauchten ‚Giselle' anschwärmen lassen ...

‚Giselles' Freundin war von dieser Demonstration serviler Unaufdringlichkeit tief beeindruckt und sofort bereit, bei nächster Gelegenheit einen romantischen Alleskönner im gegenüberliegenden ‚Store de Pläsir' zu erwerben. Traumfiebernd wandelte sie in den Laden hinein und konnte die sehnlichst vermuteten Attraktionen ihres Angehimmelten kaum abwarten. ‚Adon' soll ihr Galan heißen, doch nur, wenn sie in romantischer Stimmung war. Und ‚Siechlahm', wenn sie ihn traktieren

wollte. Auch fand sie es besonders anregend,
wenn Adon – zu allem verbalen
Schmachtgesülze – auch noch in der Lage war,
sich per Fernbedienung sekundengenau zu
ergießen ...

Sie verzichtete nur dann auf die gezuckerte
Ladung, wenn ihr der Flug des klebrigen
Labgutes zu riskant erschien, etwa beim
Überfliegen der bereitgestellten Schnittchen
oder drohte, seine sicher geglaubte Flugbahn
unvermutet verlassend, sich in das halbgefüllte
Weinglas abzuträufeln. Dann trübte die
ejakulate praecox Masse nicht nur den einst
klargespülten Weinkelch ein, sondern gleich die
ganze Stimmung.

Doch erst einmal war er endlich da! Der
Auserkorene! Der nur ihr gehorchende,
jederzeit umprogrammierbare, lebensgroße
Knuddelbär, bereit, immer bereit! ihr bis dato
bescheidenes Liebesleben in schwirrende
Sinnlichkeit zu tauchen, sie nirwanös zu
erleuchten, ja sakral zu euphorisieren.
Bedrohlich schwanden ihr bereits jetzt schon
die Sinne ...

Doch was sie beim Kauf nicht wissen konnte,
die Unglückliche erwarb tragischer Weise nicht
den weitaus harmloseren Puppentyp, den sie
bei ihrer Freundin erleben durfte. Auch enthielt
die Betriebsanleitung keinerlei Hinweise auf
das, was bald folgen sollte. Und so setzte die
Ahnungslose ihren „Adon" - allerfreudigst
erregt - in Gang. Adon aber war zunächst
brummig und auch sperrig in seinen
Bewegungen. Auch blieb Adon wortkarg. Und
auch das fröhliche Singprogramm, ihre
230

Freundin hatte es ihr immer und immer wieder vorgespielt, weil sie es immer und immer wieder hören wollte, dieses Singprogramm wollte sich bei ihrem Adon so recht nicht einstellen. Fiebrig hantierte die Erregte an Hebelchen, drückte Knöpfchen, suchte nach einer vermuteten Richtantenne. Sie konnte nicht ahnen, dass Adon seinem gewaltig ausgestoßenen Schmähtext - den sie als erstes zu hören beliebte - auch Taten folgen ließ, zu allem Verdruss trauriges Ergebnis einer kleinseriellen Falschprogrammierung, derentwegen 'Adon' alias ,Siechlahm' eigentlich nicht mehr hätte ausgeliefert werden dürfen ...

So jedoch wähnte sich die auf ein lauschiges Stelldichein eingestimmte, nur äußerst knapp negligierte Aktrice in wohliger Sicherheit. Und folglich ignorierte sie schmunzelnd die wüsten Beschimpfungen und Drohungen ihres Lovers, die verlauten ließen, sie in alle Spektralfarben des Regenbogens zu prismaisieren, sollte sie sich nicht umgehend oral anheischig machen ...

Im Gegenteil. Die angekündigte, farbenfrohe Tracht Prügel ließ Giselles Freundin noch näher an ihren Adon heranrücken – den sie jetzt aber herablassend mit seinem Zweitnamen ,Siechlahm' titulierte -sich in der sicheren Gewissheit wähnend, selber nur verbal attackiert zu werden. Und mit einem neckisch gefauchten ,Na los mein Kleiner, schlag doch zu, jubidu', blinzelte sie ihm erwartungsfroh und siegessicher in sein hellblauglas-beaugtes Wachsgesicht. Trachtete sie doch gleich zu Beginn ihrer leidenschaftlich erhofften Dauerbeziehung danach, ihm ein für alle Mal den Schneid abzukaufen, wollte diesem verdrahteten Weißblechgestell im Latexlook von Anbeginn klarmachen, wer hier künftig - und für immer – alle Fäden zieht.

Zu arg hatte sie jahrelang gelitten unter gewalttätigen Tyrannen. Das wird sie ihnen jetzt heimzahlen! Es ihnen in ausgedehnten Sitzungen mit ihrem bemäntelten Schaltkasten unerbittlich beibringen. Ihr war es doch egal ob Siechlahms Kabel vor Wut verglühten – so ihr Plan, nicht ahnend, dass diese erste Begegnung die einzige und letzte bleiben sollte. Und gleich beim ersten Téte-à-Téte führte ein von Adon alias Siechlahm verursachter Kurzschluss, der das gesamte Mietshaus verdunkelte, zu einer fieberhaften Suche nach dessen Ursache ...

Seit jener Nacht streitet sich Giselles Freundin mit ihrer Krankenkasse um die Übernahme der Reha-Kosten. Zu allem Unglück schloss auch der Kaufvertrag eine Rücknahme ‚Adons' aus - einmal ganz abgesehen von seinem kläglichen Zustand ...

Denn Adon Siechlahms Prügelorgie hatte auch ihm arg zugesetzt. Während sie darauf hoffte, dass sich ihre ganzkörperplazierten Spektralfarben langsam zurückbildeten, hing sein Plastikglied noch Monate an einem dünnen Draht weit unterhalb seiner Blecheier, die kurzschlussbedingt zusammengeschmolzen waren und mittlerweile Rost ansetzten, wurden sie doch immer wieder betropft von der gezuckerten Spermamasse, zusammengerührt aus einer Wasser-Öl Emulsion, Mehl und Traubenzucker, die aus seiner eingerissenen, plastikbetüteten Samenblase ran ...

232

Und so beschäftigt sich die nun zeitlebens Entstellte - nun aber um ein Vielfaches Rachsüchtigere - mit dem eigenhändigen Ausstopfen ihres einst sehnlichst ersehnten Ausgestopften mit Holzwolle, sich dabei aber immer einmal wieder vergewissernd, auch ja den Netzstecker gezogen zu haben ...

Der Maßstab
Der Maßstab - so man eingeweiht -
sagt etwas über lang und breit.

Wie hoch der Wald, wie weit das Land,
wie tief die See, wie schief die Wand.

Doch misst man menschliche Bezüge,
kommt's ab und an zur Notes Lüge,

gerät man merklich aus dem Tritt.
Emotional – nimmt's jeden mit …

Frauchen ist nicht immer einfach
Ja, du bist aber ein Hübscher! Und so schöne
Ohren! Wie heißt du denn?

Biffi.

Oh! Biffi! Biffi heißt doch die Wurst.

Die Wurst heißt Beafy. Rindfleisch auf Englisch.
Das kriegt der aber nicht. Das ist zu salzig.
Beafy spricht sich auch langgezogen – wie
‚Biiiiiifii'. Aber meiner heißt Biffi!

Ja der Biffi, mein Süßer! Was bist du denn für
einer?

Irgendwas mit Spitz und Fox.

Beißt der oder kann man den mal streicheln?

Der ist lieb. Der knappt nur manchmal, vor
lauter Übermut.

Macht der auch's Männchen?

Nur manchmal. Der ist noch jung. Na hopp,
mach's Männchen. Zeig's dem Onkel!
Manchmal versteht er 's halt noch nicht.
Versuch' halt 's Männchen. Da! Er versucht 's,
aber wackelt noch zu stark.

Und kann der auch schon das Frauchen?

Was ist denn das?

Ach! Das kennen Sie nicht? Frauchen ist, wenn
er so katzbuckelt! Dann streckt der so seinen
Hintern gaaanz hoch …

Ja sagen Sie mal ...

Doch! Zur Entspannung. Glauben Sie's mir.
Frauchen machen heißt das, ehrlich.

Hab' ich ja noch nie gehört.

Sie dürfen das natürlich nicht auf sich
beziehen.

Na also! Wissen Sie! Das wär' ja grad noch
schöner. Jetzt hört sich aber...

Sie, jetzt bringen Sie mich aber in Verlegenheit
...

Ja, also jetzt reicht 's aber ...! Komm Biffi!

Eine Frage hab' ich noch, gell Biffi. Sucht der
auch's Stöckchen?

Am liebsten sucht der seinen Gummiigel. Aber
auch's Stöckchen. Leine mag er überhaupt
nicht.

Leine will keiner. Die fahren auch nicht so gern
Auto. Ja fährst du denn gern Auto, Biffi?

Manchmal muss ich U-Bahn fahren. Da trag ich
ihn halt immer. Wegen der Rolltreppen.

Gibt der schon Pfötchen?

Vielleicht. Aber erst muss er Sitz machen. Sitz
Biffi, Sitz! So ist 's lieb. Und jetzt gib's
Pfötchen.

Ja, also schau'n Sie doch mal, wie der schnüffelt! Die haben ja sooo feine Nasen.

Ich riech leider auch immer alles. Manchmal ist das richtig unangenehm was man da so riecht.

Ich riech nicht so gut. Aber Ihr Parfum riech ich schon …

Ja was machen Sie denn da jetzt schon wieder? Also Sie sind mir ja …

Wenn ich halt näher ran komm – nur dann kann ich's überhaupt riechen …

So geht das aber nicht! Wir kennen uns ja gar nicht!

Ja das können wir gleich ändern … und weil Sie halt außerdem so gut riechen …

Danke! Kein Bedarf!

Ach schaut der aber treu! Und so ein süßes Gesicht hat der. Der ist aber wirklich sehr gepflegt. Ich kenn mich da aus. Ich mach so nebenher Tierfotos.

Das wird nix mit dem. Der ist noch viel zu lebhaft. Da braucht man viel Geduld. So viel Geduld hätt' ich nicht.

Oh ja! Da sind die ja noch sehr lebhaft. Wo ist der her?

Aus einem Wurf aus der Nachbarschaft. Die waren zu viert. Ich hab' mir den mit der

schönsten Musterung ausgesucht, schwarze
Ohrenspitzen und die Schwanzspitze.

Ist der schon geimpft?

Ja, die haben die alle gleich impfen lassen.

Ach, der ist aber lieb. Ist das ein Schmuser?

Der ist noch wild. Nur wenn er müd' ist
schmust er.

Ja, kannst du schon bellen, Bebbo?

Biffi! Der heißt Biffi! Oh je! Wenn der anfängt
...
Wenn der allein ist bellt der sehr viel.

Allein sein ist schrecklich, gell Biffi. Ich bin
auch oft sooo allein. Ja sag mal Biffi, ist dein
Frauchen hoffentlich auch öfter mal sooo schön
allein? Da hätt' ich da eine Idee...

... hörn 's mir ja auf damit ...

Ist der richtig erzogen? Ich meine von der
Hundeschule?

Ich hab ihn erzogen. Klappt schon ganz gut.

Wenn ich mal fragen darf - wie hoch sind denn
die Steuern?

Die Hundesteuern? Ziemlich. Und immer
steigen die. Aber das ist mir mein Biffi schon
Wert, gell Biffi, braver Hund ...

Ist ja auch kein Kampfhund, hihihi. Und was frisst der?

Halb aus der Dose und immer mal was Frisches vom Metzger. Da mach ich ab und zu ein Eigelb dran für sein glänzendes Fell.

Ja und der Biffi, wie der sich freut! Hebt der schon das Beinchen, wenn er mal …

Also was Sie alles wissen wollen …

Und wie der Schwanz wedelt. Wedelt der immer so? Gleich fällt der ja um, der Biffi, so, wie der wackelt.

Das ist die Biffi, ein Weibchen ist der.

Der ist eine die? Ja werden die Hundchen jetzt auch schon umgewandelt, ich meine …

Na also geht's noch! Meine Biffi ist eine Hündin – die – Hündin - Biffi!

… ach so …

Ich wollte tatsächlich erst einen Rüden. Aber die Biffi war am schönsten gezeichnet.

Ei Biffi - hast du schon mal Junge gehabt? Ich würd' mir glatt so einen kaufen, so hübsch, wie die Biffi ist.

Der ist noch zu jung. Ich weiß auch gar nicht ob ich das will. Die müssen ja dann auch durchkommen. Das kostet. Und dann kriegt man die nicht los. Und die Rennerei zum

Tierarzt kostet auch. Die Biffi ist schon teuer genug.

Spielt der gern mit andern Hundchen?

Sie glauben's ja nicht! Aber sein bester Freund ist eine Miez! Ein kleines Kätzchen!

Ach was! Und sieht die Katz das auch so, hehehe, mit der Freundschaft? Ja, so ein schlauer bist du! Miau als erste Fremdsprache! Also so a gescheit's Hundli.

Die Katz ist grad so lebhaft wie die Biffi. Wenn die ihrem Schwanz nachrennt wird die Biffi grad so verrückt.

Geht mir genauso, hehehe, ich mein' das Zuschauen. Wenn's Katzi dann so rumwirbelt, gell Biffi ... das macht einem selber ganz närrisch ...

Die Biffi weiß ja nicht, warum die Miez plötzlich so rumkreiselt. Die weiß ja nicht einmal, was eine Miez ist. Nicht mal weiß sie auch dass sie ein Hund ist ...

Ja dann sagen Sie's ihr halt, hehehe ...

Hihihi ...

Jetzt wird's auch noch wissenschaftlich hehehe
...
Ja Biffi, such' doch mal dein eigenes Schwanzi. Pass aber auf! Sonst fangt's die Katz das Bellen an, hahaha, so verrückt, wie 's dann ausschaut hehehe ...

Die Biffi weiß ja grad noch nicht, dass sie auch einen Schwanz hat, so jung wie die noch ist.

Jaja. Manche kommen erst sehr spät drauf, manche nie, kicher ... Auch die Viecher sind da sehr verschieden. Hat der Schwanz auch eine Rolle gespielt? Ich meine beim Kauf, so schön, wie der nach oben steht?

Der ist jetzt ganz aufmerksam. Sonst hängt der meist so halb runter.

Aha! Wie teuer war das Teilchen?

? Vierhundert hat sie gekostet. Weil's ein Weibchen ist. Die Männchen kosten fünfhundert. Da ist aber dann alles drin; die Spritzen, das Futter für sechs Wochen und so.

Ja schau, die hübsche Biffi! Gern würd' ich dich mal schnell knipsen. Für den Hundekalender.

Wir sind schon spät. Wir müssen jetzt weiter – komm hopp!

Ja, ich hab ja auch mein Apparat nicht dabei, hehehe. Ich meine den Fotoapparat, hihihi. Ich geb' Ihnen mal mein Kärtchen. Mein Studio ist in der Altstadt. Oder woll'n wir die Biffi lieber bei Ihnen daheim knipsen, so schön, wie 's da wohl ist? Gell Biffi, schön ist 's bei deinem Frauchen daheim! Und erst im Körbchen. Oder auf dem Sofa vom Frauchen, gell Biffi. Oder schläft der hoffentlich gar bei Ihnen im Bett??

Wie bitte? Der zappelt zu viel.

Das legt sich, wenn der sich ausgetobt hat, hihihi. Gell, Biffi, das ist bestimmt schön bei deinem Frauchen im Bett. Da machen wir dann die Fotos. Ich mach dir dann das Männchen mal vor und dein Frauchen macht auch's Frauchen uns mal vor. Wunderschöne Bilder werden das, glaub's mir Biffi…

Das tät Ihnen so passen, Sie Schweinigel, Sie! Komm Biffi …

Ja Biffi, kannst du auch sprechen, hehehe? Wie heißt den dein Frauchen? hihihi.

Sie, Sie sind ja grad so verrückt, Sie, Sie …

Hihihi, sprechen kann der aber nicht, der Biffi …

Dieee BIFFI!! Also sowas! Jetzt komm!

Aaaaha! Ich muss auch los. Da kommt ja schon die Nächste, hehehe, I mein, äääääh, der Nächste. Also der ist aber hübsch, und erst dein Frauchen, äh, die Ohren und das Schwanzi erst … Ja wie heißt denn unser Hübscher …

Hasrübli

Ein Häslein sitzt vor einer Möhre
und spricht zu ihr: "Wie schön Du bist!
Doch leider mag ich Dich nicht nagen,
denn auf Dich hat ein Hund gepisst.

Nun ist Verzicht nicht meine Sache,
Du süße, gelbe, Rübe, mein!
Ich zieh' Dich durch 'ne Wasserlache,
danach verleib' ich Dich mir ein."

Die Möhre weiß, des Häsleins Hunger,
der ist ihr sichrer, ew'ger tot.
Da plötzlich, wie aus heit'rem Himmel,
fällt auf die Rübe etwas Kot.

Der Jagdhund wollt' das Hasli reißen,
doch ihm passiert ein Missgeschick.
Der Hund, er musste dringend scheißen.
Dies schien des Möhr- und Häsli's Glück.

Das Glück kann so beschissen sein,
sinniert der Has', beißt trotzdem 'rein.

Indes, der Hund blieb auch nicht faul.
Er fraß den Has – mit Rüb' im Maul,

an der noch *seine* Kacke klebte.
Wer weiß, ob er das überlebte …

Lampen
Hängen oben.
Imitieren frech die Sonne.
Oberlicht.
Fern und hoch.
Strahl und Strahlung,
Wärme und Licht,
Leben und leben.
Unterlicht Menschwerk Machwerk.
Schein Werfer, Strahlenschleuder,
Scheinsonne, verschraubt am Stiel.
Substitute, Imitate arme Leuchter.
Verwirbelndes, von des Meisters Lampe
für Meister Lampe, dem Selbstleuchter.
Dem Rückstrahler, weiß, man weiß.
Natürlich, original.
Lucitan naturellment.
Wo es doch heißt:
Borges gibt es nicht.
Vielleicht als Hase - doch?
Oder Flakhelfer?
Borges als Licht, sein Schein im Lucitan?
Unsichtbar, unscheinbar, vielleicht …
Okkult, kryptisch, Macao.
Flieder pollt.
Mir entgegen, in mich hinein,
infam verpackt in versklavendem Odeur,
ähnlich den stürzenden Händen auf Seite 153
…
Protagonisten-Schicksal,
zerstört durch Nasennähe.
Schnuppern und niesen und weg.
Nüstern? Löcher zwei.
Rasselnd Schaum stiebend.
Naturgemisch im irgendwo hier.
Lampendecken, rabbit réfléchissant,
spiralverdrehte Illumination.
Dazwischen - der befliederte Mensch.
244

Universal verbunden mit Herrn Köpfs
schweigender Feder ...

Walburga
Ist Walburga wirklich heilig?
Oder hatte sie 's nur eilig?

Wild ritt sie auf einem Besen,
half den Kranken zu Genesen.

Bauer, Seemann; Wöchnerinnen,
ist Walburga Schutzpatronin.

Rettet Kinder vorm verhungern,
die am Blocksberg frierend lungern.

Wunder oder Hexerei?
Wenn's uns hilft, ist's einerlei.
Tanzen wir nun in den Mai.

Ich habe das Paradies an einem Sonntag verlassen um mir an einem Freitag an der Küste Rosen anzusehen

Das Maß war voll. Niemals hätte ich geglaubt, das Paradies jemals wieder verlassen zu wollen. Ja! Zu wollen! Wegen eines Streits, der nicht endete. Dabei hätte ich es besser wissen müssen! Schon in frühen Jahren hatte ich gelernt, dass das Paradies nur das Ergebnis auflösbarer Widersprüche sein kann. Das klappt aber nicht mal in der Phantasie.

Gleichwohl. Meine Entscheidung war gefallen. Mir blieb nun nichts weiter zu tun. Vom ausführlichen Sonnenbaden körperlich merklich geschwächt, galt es als nächstes, meine ermatteten Glieder wieder zu reaktivieren. Sport war meine Sache nicht. Lieber wanderte ich. Ich ersann eine kleine Tour, verbunden mit dem Wunsch, auch meine Sinne anzuregen. Als Ziel meines ersten außerparadiesischen Exkurses wählte ich eine Bucht am Meer, deren Küstenstreifen abschnittsweise mit prachtvollen Pflanzen gesäumt war. Gut, zu wissen, dass es paradiesische Zustände nicht nur im Paradies gibt. Außerparadiesisch paradiesische Plätze zu finden ist indes nicht einfach. Hat man aber für Gegenden ein Gespür, wo diese eventuelle vorkommen könnten, wäre ein Quäntchen Glück zusätzlich hilfreich.

Wichtig ist die Wahl des richtigen Zeitpunkts für den Reisebeginn, und auch die Reisedauer ist zu berücksichtigen, beide auszuwählen unter einer Reihe vermeintlich ebenfalls genehmer Angebote. Der Freitag als Tag der Ankunft schien zu gefallen. Dann wäre ich fast allein mit der Natur, an diesem besonderen

Strand. Dann könnte ich den ersehnten Genuss nur mir ungeteilt zukommen lassen. Die Anderen wären mit Besorgungen beschäftigt und werkelten an den Vorbereitungen für das kommende Wochenende. Sie kämen nicht aus ihren Dörfern heraus, bevölkerten stattdessen die Kaufläden oder richteten ihre Gärtchen und ihr Zuhause her.

Als Dreingabe beschert mir zudem der optimale Stand der nachmittäglichen Sonne ein zusätzliches Vergnügen, so mein Kalkül. Die Leuchtkraft der erhofft vorzufindenden Rosen würde durch dieses nachmittägliche Sonnenlicht deutlich verstärkt, auch das male ich mir aus. Denn auf die Rosen habe ich meine Sinne besonders gerichtet. Wenn ich an einem Sonntag startete, so meine Überlegung, würde ich freitags früh eingetroffen sein, zeitig genug, um den Nachmittag ausgeruht anzugehen.

Mein Plan war gereift, ich konnte starten. Ich werde mein Paradies an einem Sonntag verlassen, um mir an einem Freitag an der Küste Rosen anzusehen.

Zunächst empfand ich den Spazierweg als beschwerlich. Dabei bin ich keiner Empfehlung gefolgt. Im Laufe der sechs Wandertage kam ich aber zunehmend in Schwung. Zeitweise wurde ich von einem mir bis dato unbekanntem Vogeltypus begleitet, ähnlich etwa einem Finken, der mehr lief als das er flog. Gelegentlich unterbrach er sein Schlendern und wechselte zu einer Art unstet anmutender Hüpfbewegung. Wollte er mich ablenken? Meinen Blick, weg von den seltenen Küstenrosen, deretwegen ich das Paradies

248

verlassen hatte, hin zu seinem kecken Laufgebaren biegen? Ein weiteres Rätsel der Natur, denke ich bei mir. Eine paradiesische Unbekümmertheit erhellte meine Sinne und hielt tatsächlich eine Weile an, nun gut, und immerhin, ein Weilchen …

Elslies' Elegie

Liedbert, der Verkannte,
lehnte an Schwester Elslies,
der Verkanteten,
Tochter Perplexias, der Überraschten,
Mutter von Fragilius, dem Zerbrechlichen,
als dieser das Gemach betrat
um Kund zu tun, er habe
Vater Milch O Bart, den Verträumten,
auf dem Marktplatz bettelnd - erspäht.

Wie das, oh Modder Perplexia, entfuhr
es Liedbert, dem Verkannten,
wähnte ich Vaters doch jenseitig gerüttet Zeit?!

‚Dumm' Zeug', spricht Elslies und
begehrt ohn' Verzug des Oheims
kryptisch Berichts aufhellend End.

Sprach mystische Kunde
zur lauschenden Runde.
Statt klärend Gered',
nur Räuspern und Nuscheln,
laut war man am tuscheln…
Ward schwer zu entschlüsseln -
Gegrunz wie aus Rüsseln
der Schweine im Pfuhl.

Verstand nicht die Bohne,
Elslies, ohne Krone,
vom wirren Gezeter'.
des Adels Vertreter.

‚Ein Durch und einander',
klagt Liedbert, Verkannter,
'mir schwirrt, nein, mäandert
wild hirnwärts, ein Summen und Brummen
tut weh ach so Au!

Zäh will sich's erhalten,
das Summen und Brummen,
krallt grässlich sich fest,
im Nervengeäst...

Bin wirr und von Sinnen,
will flüchtend entrinnen
von dann- und! - von hinnen!

Da kommt Fürstin Anke - Durchlaucht -
ein Gedanke
zu lichten der Wirrnis
verwunschener Firnis.

In all dem Gewusel
kredenzt sie den Fusel,

den Einlauf von Hessen
Hoch Adel ohn' Tadel -
im Schlachtkampf vergessen.

Am Streit sich berauschend,
die Flaschen vertauschend,
trank leer statt der Kannen
- des Feldlagers Pfannen -

die Notdurft der Reiter...
- Verzicht wär' gescheiter -
und war so verschieden,
hinfort - statt hienieden...

Elslies', schwarz gewandet,
entschlief - arg verkantet -
bleichweiß und entrückt.

Kein Junker entzückt
dieser Anblick der Toten
Gedärms dicker Knoten.

Die Trauer der Ritter Geschlechter
war bitter
nach alle dem hoffen -
wurd' nur noch gesoffen.

Seitdem steht bei Hofe,
statt Elslieses Zofe,
Spalier nur noch Bier,
Wein und Korn.

Man trauert gemeinsam,
im Kampf gegen einsam,
gefüllt Kelch und Horn
- von hinten bis vorn.

Von hinten bis vorn?
Nein, unten bis oben!
Bekleckert, die Roben,

besudelt Gewand.
Schreiende Schand,

der Abgang Elslieses!
Noch zuckt sie, so hieß es ...

E P I L O G

Huld

Vor mir, ein Stift.
Auch Blei genannt.
Er füllt, mit Schrift
den Lobesband.

Die Hymne mir,
zu meiner Ehre,
verfasst, allhier,
beschwingt, das Hehre …

Ich ritze tief,
mit ruhiger Hand,
auf weißem Grund,
was nicht bekannt.

Ein Hochgesang,
der Herzen rührt.
Voll Inbrunst - mir,
dem Ruhm gebührt.

Doch mich verließ
- welch übler Hohn -
mein Geistesblitz,
Inspiration …

Nun steh' ich hier,
entleert mein Haupt
und blicke stier,
fühl mich beraubt …